Vivre !
Vaincre soi-même la dépression

CLAIRE FONTAINE

Vivre !

Vaincre soi-même la dépression

Préface du Docteur Yves-Marie Granjon

Bien-être

À mon époux, compagnon de « cette traversée »
souvent ressentie comme solitaire et pourtant si plurielle.

Journal d'une dépression

Il n'y a pas d'amour de vivre sans désespoir de vivre.

Anonyme

*N*ombreux sont ceux qui prétendront vous montrer quel est le but de la vie et vous expliquer ce qu'en disent les écritures. Des gens habiles continueront à attribuer à l'existence des buts inventés de toutes pièces. Tel groupe politique se proposera un but, tel groupe religieux un autre, et ainsi de suite à l'infini. Quel but peut bien avoir votre vie, alors que vous êtes vous-même en pleine confusion ? Lorsque je suis en proie à la confusion, si je vous demande : « Quel est le but de l'existence ? », c'est parce que j'espère qu'à travers toute cette confusion je vais trouver une réponse. Comment puis-je trouver une réponse véridique alors même que je suis plongé dans la confusion ? Est-ce que vous me comprenez ? Si je suis dans la confusion, la réponse que je reçois ne peut être elle-même que confuse. Si j'ai l'esprit confus, perturbé, si mon esprit manque d'harmonie, de tranquillité, toute réponse, quelle qu'elle soit, me parviendra à travers cet écran de confusion, d'angoisse et de peur ; par conséquent, la réponse sera pervertie. L'important n'est donc pas de demander : « Quel est le but de la vie, la finalité de l'existence ? », mais de dissiper la confusion qui est en vous. C'est comme un aveugle qui demanderait : « Qu'est-ce que la lumière ? » Si je lui explique ce qu'est la lumière, il écoutera en fonction de sa cécité, des ténèbres qui sont les siennes ; mais supposons qu'il puisse voir, dans ce cas, jamais il ne demandera : « Qu'est ce que la lumière ? » puisque la lumière est là.

De même, si vous savez clarifier cette confusion qui est en vous, alors vous découvrirez quelle est la finalité de l'existence ; vous n'aurez plus besoin de demander, vous n'aurez plus besoin de la chercher. La seule chose que vous ayez à faire, c'est vous libérer des causes qui sont responsables de la confusion.

Krishnamurti

12 juin 1997-23 décembre 1998

La vie est un escalier. Grand, beau, drapé, majestueux. À l'étage supérieur, le nirvana. Aux étages intermédiaires, le bonheur. Au milieu, le quotidien fragmenté de petits plaisirs. Aux étages inférieurs, l'état de neutralité. Puis, progressivement, descente vers les soucis, la fatigue, la tristesse, le chagrin, le désengagement. Au rez-de-chaussée, la dépression. Au sous-sol la mort.

La dépression. Une maladie qui ne se présente pas. Mal polie. Muette. Un matin, elle tape à votre porte. On peut lire sur son front l'inscription suivante : « Hello, c'est moi, une ennemie qui ne te veut pas du bien. Je te préviens, tu vas en baver, un peu, beaucoup, à la folie, cela dépendra... De toi et de tes réactions. »

Étage supérieur : le conte de fées. L'été. La séduction laisse planer un parfum délicieux. Je viens de rencontrer le grand amour. J'en suis parfaitement consciente. C'est une évidence. Pour tous les deux. Nous sommes en vacances. J'ai l'esprit pur et léger comme un pétale de rose. Retour à Paris. Succèdent alors des mois d'euphorie amoureuse. Point d'exclamation : nous organisons nos fiançailles.

Clash. L'escalier se fendille entre deux étages. Cette soirée, promesse d'union, est comme désamorcée. Les familles arrivent séparément. Les miens sont gênés. Ils m'esquissent un vague sourire. Ma mère pose sur ses lèvres un rictus de circonstance. Ses yeux sont rageurs. Mon père est neutre. Suit ma belle-famille. Elle m'observe à distance. Je suis «le cheveu sur la soupe». Comment deux êtres peuvent-ils s'unir si précipitamment ? Les uns et les autres cherchent dans ma personnalité quelques explications. Nos familles se croisent dans une sorte de mutisme. Ce malaise se dissout néanmoins dans l'alcool. Désinhibés, les convives laissent naître un brin de gaieté. La joie n'est tout de même pas au rendez-vous. J'incombe cette réaction à la rapidité de l'événement.

Les nuits qui suivent sont agitées. Mon fiancé apaise mes interrogations et mes interprétations : «Tu n'épouses pas ma famille, je n'épouse pas la tienne !» Je cherche pourtant le réconfort et l'harmonie avant le grand plongeon du mariage. Nous en fixons rapidement la date. Sortant de la mairie pour la publication des bans, je vole à trois mètres au-dessus du sol. Visite à ma meilleure amie. Motif : lui proposer d'être le témoin de cet amour intense. Déception majeure. Elle s'écroule en larmes. L'idée de ne plus être «en fusion» avec moi, d'être délaissée, détruit sa vie. Le temps de l'amitié est effectivement passé au second plan. Elle me fait part de son anorexie, de son mal-être. Cet aveu me contrarie et me blesse. Elle ne se réjouit pas de mon bonheur, c'est son malheur qui la hante. Je la quitte sèchement. Ma coupe est à moitié remplie de négations et de tristesse. Espérant enfin l'accalmie et le partage, je rejoins à présent mon second témoin : «ma sœur de cœur». Fille d'une amie de ma mère, nous fûmes élevées côte à côte. Rendez-vous pour déjeuner. Désappointement immédiat. Mon rayonnement ne fait pas plaisir. Son visage est figé, marqué. Au plat principal, elle lâche son venin d'un ton perfide : «Cet homme a treize ans de plus que toi, il est riche, généreux je pense, et je regrette que tu souhaites l'épouser pour l'argent.» Elle continue son addition. «De toute façon, si tu fais un bébé, cet enfant sera laid, ce ne sera pas un enfant de l'amour.» Tant de méchanceté me remue. Coup de poing, coup de massue, poignard dans le cœur. Comment «ma sœur» peut-elle me percevoir ainsi, vénale et calculatrice ? Douloureux constat. Je sors désarmée, atteinte dans ma chair. J'avance vers les bras d'un homme et je perds un à un tous mes repères. Ce que j'ai mis plus de vingt ans à construire pièce par pièce. Mes fondations se disloquent en quelques jours. Leur affection et leur sollicitude n'étaient donc qu'intérêt pour leur petite personne ?

Je n'ai pas de réponse. Au creux de l'épaule de mon fiancé, je refoule tous ces verdicts et sensations. Il me réconforte et relativise sans se douter de la dimension de ces ruptures.

Respiration. Nous reprenons notre marche. Nous grimpons les escaliers un à un dans l'allégresse. Nous voici quelques paliers plus haut, le temps de notre emménagement. L'appartement se situe dans l'immeuble de mon père, neuf étages au-dessus de son rez-de-jardin. L'immeuble de mon enfance. Nous le visitons. Il est splendide. Un vrai paquebot sous les toits, le charme des mansardes en plus. Pourtant, la proximité de mon père me gêne. Il nous faut malgré tout donner notre réponse ce jour même. Mon mari est aux anges. Ce lieu lui convient parfaitement. Je ne fais donc pas part de mon ressenti. Je viens de commettre une fatale erreur : habiter dans l'immeuble de mon père, sous son regard permanent. Devoir dans la même journée me comporter en « fille de » et « épouse de ». Confronter mon bonheur à la solitude de mon père.

Nous orientons maintenant nos recherches vers une résidence secondaire. Rêve de mon mari. Lieu de paix et de détente, il sera le « nid de nos week-ends ». Mon père nous vante les mérites d'une maison habitée par l'une de ses amies. Elle souhaite vendre. Nous nous y rendons. Coup de foudre. Achat immédiat. Mon père m'avoue par la suite : « C'est la maison de mes rêves. » Que dois-je en déduire ? Que j'accomplis ce qu'il aurait souhaité réaliser ? Sa réflexion me gêne. Elle fait naître en moi un sentiment confus de culpabilité. Néanmoins, tout danse et chaque réalisation se fait aérienne, facile, rapide. Les anges nous portent à bout d'ailes.

Choc et secousse. Nous glissons sur l'une des marches et tombons à terre. Jour de la cérémonie. Toutes les femmes de ma famille se sont donné le mot, elles sont vêtues de noir, de la tête aux pieds. Intéressant et original pour un mariage ! Ont-elles perdu « le guide du savoir-vivre » ? Passe encore. Le plus douloureux : ma mère. À son visage, je perçois que, pour elle, c'est un jour d'enterrement. Ma mère est muette, froide à mourir. Est-elle contente de mon bonheur ? À l'évidence non. Elle tombe soudain du piédestal sur lequel je m'étais efforcée de la hisser. Elle n'est pas l'être merveilleux et aimant dont je rêvais. Je commence à prendre conscience de ce que je me suis appliquée à refouler depuis plus de vingt ans. En ce jour, j'entrevois une femme triste et seule à crever, trouvant refuge dans un narcissisme enfantin, perdant son miroir : moi.

Celui qu'elle utilise pour se rassurer, pour vivre. Insupportable.

Frisson. Mon père pleure. Son émotion incontrôlée cache un immense chagrin, le sentiment inconscient que je le laisse sur le bord de la route. Pas une fois, ni elle ni lui, à la mairie, au cocktail, ou au dîner, ne sont venus me serrer dans leurs bras pour m'exprimer leur joie.

Séparés depuis des années, ils refusent de plus d'être réunis à la table d'honneur. L'un de mes vœux les plus chers. Mariés puis divorcés très jeunes. Un père autoritaire et responsable mais changeant de comportement au gré de ses « amours ». Une mère immature et vampirisante. De cet échec naissent deux rôles à jouer pour la petite Claire alors âgée de cinq ans. « L'épouse » pour un père traumatisé par une séparation non souhaitée. « La mère » pour une femme ayant terriblement souffert du désamour de sa propre mère. Elle attend de moi que je comble ce manque. Plus, elle m'oblige à la prendre en charge et à gérer le quotidien qu'elle est incapable d'assumer. Aujourd'hui, faire ma vie, « les lâcher », les abandonner, c'est purement et simplement un crime. Comment une « épouse » symbolique peut-elle délaisser son « homme » ? Comment une « mère » symbolique peut-elle abandonner son « enfant » ?

Et moi, quel est mon rôle à présent ? Je ne sais plus. Cette soirée est un mélange de joies et de questions existentielles.

Pause. Nous quittons les escaliers pour emprunter l'ascenseur. Nous voici remontés aux étages supérieurs de la vie. Bonheur. Nous attendons un heureux événement. Nous nous empressons de l'annoncer. Notre volonté est sans doute de conjurer le rôle que consciemment ou inconsciemment ma mère et mon père veulent continuer à m'attribuer, m'empêchant de vivre ma vie en dehors d'eux, d'exister avec ma propre personnalité et dans ma propre fonction. La vie nous comble, malgré tout. Nous trottons et galopons sur ses chemins. Nous possédons tout : l'amour, la santé, le bien-être, et un avenir doré.

Vertige. L'ascenseur tombe en panne. Les lendemains déchantent. Je subis une première contraction. De diffuses crises d'angoisse me harcèlent. Le pressentiment qu'une perle de tuiles va nous tomber sur la tête. Toujours en quête de l'amour et de l'assentiment de ma mère devant mon choix de vie, je lui rends visite. J'espère beaucoup de cet entretien. Monstrueuse sentence. Ma mère, cartomancienne à ses heures, m'annonce que je ne garderai pas l'enfant que je porte. Elle préfère me le dire, m'assure-t-elle, pour que j'en fasse dès à présent mon deuil. Horrifiée par cette nouvelle, je caresse mon petit ventre et demande à m'allonger. Jalousie, perversité, machiavélisme ? Aucune supposition n'est excusable. Je cherche sa main dans la nuit. Elle me tord le cou. Je porte un bébé qui va mourir ?... Et dans mon ventre. Je ne peux accepter cette idée. Meurtrie au plus profond de mes tripes, je rentre chez moi, en ruine. Dix minutes plus tard, la sonnette de mon appartement tinte rageusement. Choquée, je mets un long temps avant de répondre. J'ouvre enfin. C'est mon père. J'ai oublié notre rendez-vous ! Furieux de cette attente, il est comme fou. D'un geste violent, il tente de porter la main sur moi, enceinte. J'ai juste le temps de le repousser et de lui claquer la porte au nez.

Ma vie bascule à cet instant fatidique. Je m'écroule contre la porte. À genoux je rampe jusqu'à la chambre destinée à l'enfant. Allongée à même le sol, je crache toutes les larmes de mon corps. « Vous me tuez, vous me tuez ! Empêcher l'oiseau de prendre son envol, lui mettre les ailes dans le goudron, c'est un meurtre. » Je ne cesse de répéter ces mots.

La vie donne raison à ma mère. L'enfant que je porte n'évolue pas correctement. Est-ce l'influence de toutes ces conjonctions ? À deux mois et demi, je subis une première intervention, le fœtus ne tombant pas. Mon mari et moi vivons cette douleur dans un silence total.

Cette fois, l'ascenseur redescend brutalement de plusieurs étages. Ma belle-famille, au courant de ma grossesse, nous demande des nouvelles. Il nous faut nous justifier. À travers ses questions, elle ne se rend pas compte qu'elle cherche un responsable. Moi ou mon mari ? Est-ce moi qui ne suis pas normalement constituée ou le sperme de mon époux qui n'est pas assez costaud ? L'horreur commence : la culpabilité. L'impression de ne pas avoir fait le nécessaire.

Ils ont tous gagné. Je suis épuisée, fatiguée, mal-aimée, déçue à en crever.

Nouvelle apnée. Cette fois-ci, nous chutons d'un coup. Nous quittons l'ascenseur et nous glissons par la rampe d'escalier. Le compte à rebours débute. Les prémices de la dépression pointent leur nez : ralentissement de mes activités, perte de désir, perte de toute curiosité de l'autre et du monde en général, baisse de ma libido, exagération du moindre détail, fatigue de plus en plus persistante et pesante, culpabilité grandissante. L'idée d'être déprimée ne m'effleure pas une seule seconde. Au contraire, je navigue dans l'autre sens. À contre-courant. Je me réconforte : « Tu n'es pas un robot, tu vas sortir de cet état passager de chagrin et de tristesse. » Je ne pense pas « tomber en dépression ». Comment le savoir ? Je n'en ai jamais vécu ! Une grippe, tout le monde en connaît les symptômes. En fait, je ne m'en doute pas le moins du monde. Lentement mais sûrement, un peu comme le *Titanic*, mais en moins glorieux et seule dans mon coin, je sombre. À qui lancer un SOS ? J'ai rompu tout contact avec ma mère. Mon père quant à lui se rend invisible. Son soutien devant mes cataclysmes est inexistant. Une forme de rejet de la maladie. N'ayant plus personne à qui parler, je reste persuadée de pouvoir me sortir seule de cette impasse.

Je décide de n'écouter ni mon corps ni mon esprit. Je reprends le flambeau de mes activités en utilisant tant bien que mal la méthode : « Je vais bien, tout va bien ! » Aussi étrange que cela puisse paraître, je suis dépressive mais j'arrive à me convaincre du contraire. Quelques mois s'écoulent, jusqu'au jour où je suis de nouveau enceinte. Merveille des merveilles, le sourire revient sur mes lèvres et sur celles de mon mari. C'est le printemps. Tout nous sourit. Nous remontons un peu les escaliers. Malheureusement, cet état de jouissance ne dure guère. Se profile un scénario identique. À la deuxième échographie, les terribles mots du radiologue : « Le fœtus ne mesure pas ce qu'il devrait mesurer. » Je tombe à présent dans un gouffre. Mon mari est au bord. Je subis une deuxième intervention chirurgicale, les déchirures de mes entrailles, accompagnées de leurs douleurs physiques et d'épouvantables fractures morales. Enceinte de deux mois et demi, mon corps met cette fois-ci du temps à comprendre qu'il n'est plus porteur de vie, mais de mort. Aucun suivi psychologique ne m'est proposé. Seule alternative : souffrir en silence. Suit alors une année et demie d'investigations auxquelles se mêlent toutes sortes de manifestations psychosomatiques qui me rendent hypocondriaque. Sans le savoir, je cherche par tous les moyens à trouver une cause organique à mon délabrement. Résultat : des dizaines de prises de sang et bilans, autant de consultations, neurologue, endocrinologue, cardiologue, oto-rhino-laryngologiste, stomatologiste, radiologue pour un scanner du cerveau. Sans compter les troubles réels liés à mes fausses couches qui me valent trois cœlioscopies, une hystéroscopie, une hystérographie, trois infections rénales. En tout, cinq anesthésies générales, six blocs opératoires, huit hospitalisations.

Tout mon entourage me lâche. Personne ne vient à mon chevet. Bande de vaches. Ah, je voulais exprimer mon bonheur, ma joie, eh bien je vais comprendre ! Merci bien. Ma tante ose même un appel de sorcière. Alors que je suis encore hospitalisée, une perfusion d'antibiotiques dans le bras, elle me fait part d'une plaisanterie énoncée par un de ses collègues médecin à propos de mon mariage et de mes fausses couches : « On devrait donner le mariage avec deux ans d'essai pour le mari. » Elle est hilare. Je suis mortifiée.

Mon état se détériore jour après jour. Mon généraliste insiste sur le fait que je dois vivre mon chagrin. Tout doit rentrer dans l'ordre, même si l'on ne connaît pas les causes de ces grossesses s'arrêtant sans raison. Les multiples examens ayant prouvé que j'étais tout à fait apte à tenir une grossesse. Mon humeur noircit de plus en plus. Je vois la vie à travers un kaléidoscope. À la suite des deux grossesses interrompues survient une troisième. Même programme. Cette fois, l'embryon tombe sous mes doigts. Je crois m'évanouir. Expliquer ce que j'ai ressenti ce jour-là est impossible. Ma vie s'écroule. Donner la vie est le plus beau cadeau qu'une femme puisse faire à un homme. C'est le sens de ma vie. Je n'y suis pas arrivée. Je ne sers à rien. Si je ne reproduis pas, je ne considère plus avoir de valeur, ni de raison d'être. Je ne suis qu'un bout de viande, inutile.

Alourdie par un chagrin sans fin, je finis par prendre la résolution de consulter un psychanalyste. Objectif majeur : déverser mon trop-plein de tristesse, demander de l'aide. Lorsque je me rends à son cabinet, j'ai le fâcheux réflexe de me montrer beaucoup plus forte et stable que je ne le suis. Je me mens. Je tente de me prouver que je ne suis pas malade. J'ai honte d'être devenue cette chiffe molle, cette chose inutile et larmoyante, cette serpillière, alors que le monde moderne revendique uniquement la superénergie, la jeunesse, la beauté et la performance. Assurer sur tous les plans : sexuel, financier, familial, physique. Malgré mon état, je continue à nier l'évidence. Face à mon discours et à mon comportement, le psychanalyste confirme que je suis dépressive, mais pas en dépression. Ni lui ni moi ne savons que j'y entre pourtant insidieusement. Il me propose quelques calmants. Mon mari soulage également mon amour-propre : « Tu vois, tu ne fais pas une dépression. Tu es optimiste, toujours pleine d'énergie. Ne t'inquiète pas. »

Le coup de baguette magique ne se produit pas. Mon état ne cesse d'empirer. Je consulte à nouveau le psychanalyste, lui quémandant un traitement antidépresseur. La fameuse pilule du bonheur tant vantée par les médias. Selon lui, je n'ai pas besoin d'un traitement chimique, mais plutôt d'une thérapie. Il accepte néanmoins et me prescrit une dose infinitésimale d'un premier antidépresseur. Il pense, pour mon cas, que de fortes doses ne conviendraient pas et provoqueraient l'effet contraire à celui recherché. Il analyse par ailleurs fort bien mon parcours. Il semblerait selon les statistiques que les mariages, les déménagements, les naissances sont des facteurs décisifs de stress malgré la joie qu'ils procurent. Des chocs considérables faisant rejaillir dans l'inconscient une multitude de paramètres déstabilisants : la trajectoire de ses propres parents par rapport au mariage, le déménagement qui emporte avec lui son lot de pertes de repères et, pour mon cas, de retrouvailles avec un passé douloureux et refoulé, le choc de devenir futur parent avec la mise en surface de son propre enfant intérieur. À chaque case, selon lui, je cumule tous les facteurs de stress. D'autant que je dois dépasser la non-acceptation de ma vie par mes propres parents. C'est-à-dire symboliquement tuer le père et tuer la mère. Parfaitement cohérent.

Je rentre par conséquent dans cet appartement oppressant avec mon premier « petit » traitement antidépresseur. Je le commence avec beaucoup de mal. Inconsciemment, je le refuse. Il ne me soulage en aucune façon. Au bout d'un mois, je m'automédique. Il me semble en effet avoir repris le dessus.

Trois semaines plus tard, je replonge. Je retourne consulter. Mon psychanalyste ne me culpabilise pas quant à mon automédication. Il n'impose pas. Il ne juge pas. Nous essayons par conséquent un autre antidépresseur. Comble du malheur, je connais une réaction de total rejet à ce nouveau médicament : angoisse décuplée, tremblements, très forte baisse d'appétit et surtout moral à zéro du matin au soir. Programme de mes journées : couchée dans le noir, dans la même position, incapable de parler, passant le plus clair de mon temps à ressasser mes problèmes. J'essaie ainsi sept antidépresseurs. Le tout en un an et demi.

Je pratique un vrai Yo-Yo avec les molécules antidépressives. Comme si c'était une simple aspirine. Mon état ne s'améliore aucunement. Mon psychanalyste cherche avec moi l'issue de secours et la pilule miracle. Mon mari et moi commençons à perdre espoir. Nous sommes maintenant au rez-de-chaussée.

Nous décidons de prendre l'avis d'un autre thérapeute. Je m'en remets cette fois à un psychiatre. Le mot me paralyse. Son diagnostic est tout autre. Qui croire ? Mon mari et moi sommes perplexes. Il me prescrit un nouveau traitement. Nous sommes à la veille des vacances de fin d'année. Je suis un peu inquiète de connaître un éventuel problème durant son absence. Bonne pioche. Je réagis extrêmement mal à cette nouvelle molécule.

Prise de panique et de désespoir après deux ans de lutte, j'attente à mes jours. J'avale une boîte de somnifères. Je suis au sous-sol. Le Samu me sauve.

Le lendemain, catapultée dans l'ignorance et la détresse, je retourne vers mon psychanalyste et lui demande de me faire hospitaliser. L'instinct de survie. Une force insoupçonnable m'invite à arrêter ce tumulte. Seulement, je meurs de peur d'entrer dans ce type d'établissement. « Aller chez les fous ! » Impossible. J'en suis donc arrivée à ce point ? C'est sans issue. Dès que j'aperçois les « zombies » errant dans le parc de la clinique, mon cœur se serre. Dans le hall, nous attendons d'être reçus. Les malades aux regards vides déambulent. Je ne peux me faire à l'idée de les avoir comme compagnons. Je souffre le martyre. Je conjure mon époux de faire demi-tour. Il résiste. Je verse des torrents de larmes que je ne parviens pas à contenir. Bouleversé, il consent. Revenue dans l'appartement, je subis une nouvelle crise d'angoisse. Je vais et viens à travers les pièces. Je trépigne et hurle de douleur. Mon mari m'observe, silencieux, impuissant, malheureux. Je me fige face à lui et lui avoue : « J'ai peur de perdre la raison. » Il me rétorque fermement : « C'est bien pour ça qu'il faut que tu entres "là-bas" ! » Je le dévisage. Vidée, je finis par accepter cette fatalité. Me voilà une nouvelle fois devant les portes de la clinique. Mon entrée dans ce lieu est le moment le plus pénible de ma vie. Nous sommes à la veille de Noël.

24 décembre 1998

Les portes closes se sont ouvertes sur un nouveau monde. Effrayant. Suffocant. Un entre-deux, une parenthèse désenchantée. Je franchis ces portes métalliques, glacée. La caméra nous souligne et nous surveille. Rien ne doit être laissé au hasard. La voiture glisse doucement sur les graviers. Ce crissement fait résonner ce destin qui est le mien : mon entrée dans une clinique psychiatrique. Raison : dépression. Tout m'affole. Comme eux, qui vous dévisagent dès votre passage à l'accueil : alcooliques, dépressifs, toxicos, schizos, paranos, anorexiques, boulimiques, ou un milk-shake de tout. Les yeux se posent fragilement sur mon dos. Moi-même, je les observe du coin de l'œil. Notre point commun : la souffrance. On m'installe dans une chambre. Le cerbère qui me reçoit n'est pas abonné au bonheur. C'est clair. Elle a oublié depuis trois siècles au moins son sourire aux vestiaires. Elle me demande mes médicaments. Je lui laisse croire que je n'en ai pas sur moi. Avec un aplomb stupéfiant. Nos regards se fixent. Je gagne. Je poursuis même l'insolence, ouvrant à moitié mon sac : « Vérifiez, si vous le désirez. » Elle signe de la tête ma victoire. Elle ne vérifiera pas. Je demande le cordon ombilical, à savoir l'obtention d'une ligne de téléphone. « Pas de consigne pour vous ! » répond-elle violemment. Je poursuis : « Et la télévision ? » – la seule fenêtre vers le monde des « normaux ». « Non plus, pas de consigne, votre médecin ne m'a pas informée », souligne-t-elle. Ce sera donc idem pour les visites, les sorties, le portable, l'ordinateur. J'ai compris. C'est pour mon bien, cela va de soi. Elle repart sur ses petits talons de cheftaine et claque la porte. Je suis au rez-de-chaussée. Je n'ai qu'un droit : me taire et obéir. La fenêtre de ma chambre ne s'ouvre que sur une enclave de dix centimètres. On ne sait jamais, si je me jette du rez-de-chaussée... Je me renseigne, c'est évidemment une loi pour tout l'immeuble. Aucune fenêtre ne s'ouvre. Avis aux asthmatiques. Inutile de venir faire votre cure de thalasso ici. Les fils du téléphone sont coupés courts : éviter ma pendaison. Je m'allonge oppressée sur ce lit minuscule. Une gêne étrange me parcourt les os. Une alaise d'au moins vingt centimètres enserre ce lit. Insupportable. À chacun de mes gestes, j'ai quatre-vingt-quinze ans. Je m'adresse aux infirmières. « Pas question de l'enlever ! » s'exclament-elles. C'est ce que l'on va voir. S'il faut se battre une nouvelle fois, on va y aller. Un vrai ring de boxe. Mes reparties sont foudroyantes. De guerre lasse, elles finissent par lâcher : « Si vous pissez au lit, ce sera pour qui ? » Je m'engage donc solennellement à surveiller de près mon sommeil pour ne provoquer aucune souillure. Elles s'inclinent. Ouf. Même dépressive, j'ai une putain de hargne. Je refuse l'assistance totale. Je ne courbe pas l'échine. Mes affaires posées, je rejoins les couloirs. On m'interpelle immédiatement : « T'es nouvelle ? » Je hoche la tête et hésite à répondre. Est-ce bon de parler aux autres patients ? Qu'à cela ne tienne, Marie me prend le bras et me présente à toute son équipe. Des malades présents depuis des semaines. De tout. Du toxico, du dépressif, de l'automutilation, et tous les autres masques qui ne tombent pas. Je n'ai pas le choix. Les présentations sont faites. On me demande gentiment de donner la raison de mes vacances ici. J'obtempère. C'est le laissez-passer. Je finis par faire comprendre que j'aime être solitaire. Malgré mon air réservé et plutôt détaché, chacune me déverse son histoire, sa trajectoire de malheurs, ses chocs. Au bout d'une heure, je suis une vraie poubelle. Sauf qu'à la différence des psys, je ne suis pas payée.

Hallucinant de voir à quel point plus personne ne s'écoute vraiment. Pathétique. Leur envie de s'épancher leur fait vite oublier ma présence. Elles parlent dans le vide. Je finis par m'éclipser. Je jure que l'on ne m'y reprendra pas. Il faudra éviter les couloirs, les conversations inutiles, les merdes des autres. Je suis là pour guérir, me recentrer, sonder mon âme. Je suis le spéléologue de mon inconscient.

Je veux déraciner et couper définitivement la tête de l'hydre. Cette dépression qui me colle au talon comme un vilain chewing-gum va dégager. Mais avant qu'elle ne débarrasse le plancher, il va falloir que je comprenne vraiment pourquoi elle m'a scotchée à ce point. Qu'avait-elle à me dire de si précieux ? Pour cela, le silence est de mise. Je m'engage à respecter ce parcours. Être face à moi, sans bruits, ni fureurs. Ne pas me faire de cadeaux. Parasitages interdits.

25 décembre 1998

Comme cadeau de Noël, un croissant. Quelle importance ? La perfusion dans la veine, je laisse mon esprit au repos. Il faut faciliter le travail de la molécule. Je me visualise, souriante, sautant de joie sur un trampoline, fêtant ma guérison totale. Le goutte-à-goutte est lent. Comme une anesthésie générale. En mieux, puisque je ne plonge jamais. Le conscient est juste diminué, l'inconscient caressé. Même le bras immobilisé et la position inconfortable, je suis bien. Je n'ai pas le moral, mais je possède la clé pour ouvrir la porte du bonheur. J'en suis certaine. Elle est encore rouillée. Le seul hic : on m'a remis plusieurs trousseaux. Il va falloir que je les essaye toutes, une à une. Avec patience et persuasion. L'important, c'est la conviction. Rien d'autre.

26 décembre 1998

L'infirmière rate la veine, une fois, puis deux. La troisième, c'est le liquide qui passe à côté. Mon bras se met à enfler d'un coup. C'est une élève, je compatis. Au bout de deux jours, seulement, j'ai déjà le bras violet. Je tâche enfin de me reposer. Raté. C'est le défilé : femmes de ménage, plateaux-repas, plombier pour la douche, prise de tension. Ma voisine de chambre écoute une sono à fond. Toujours le même disque. Je demande à l'infirmière qu'elle fasse en sorte que cela cesse. Elle revient en m'annonçant que cette patiente ne peut ni baisser, ni changer de morceau. C'est comme ça tous les jours, le matin et le soir, c'est sa thérapie. O.K. Merci beaucoup. « La seule solution, c'est de débrancher carrément sa prise », me dit-elle.

À contrecœur, j'accepte. C'est sa paix ou la mienne. Je finis enfin par goûter un peu de quiétude. Ce n'est pas volé. Le plateau arrive, sans aucun goût. Amer. Je ne déjeune pas. Pas envie. Seuls les chats devant ma fenêtre me rappellent la joie d'être. C'est l'heure de la toilette. Ils me regardent à travers la vitre, amoureusement. Je sifflote pour qu'ils grimpent près de moi. Un des chatons observe la distance. Il s'aperçoit vite qu'il ne pourra pas se poser sur un espace de moins de dix centimètres. Tant pis, nous nous observerons à travers la baie. La journée passe au ralenti. Mon mari est absent de Paris. À sa demande, mon père me rend visite. C'est la première. Je suis complètement dans le coma. Il n'en dit pas un mot. Singeant les fous, il tente de me dérider. Évidemment, je ne ris pas. Mimant mes voisins d'infortune, il ne se rend pas compte qu'il m'atteint. Très douloureux d'être dans cette situation : accepter d'être ici. La première demi-heure est délicate. Nous sommes tous les deux dans la pudeur. Il essaie à nouveau de me changer les idées. Gagné. Je sors un peu de mon lit. Il me redonne l'espoir. Je comprends qu'il ne faut pas être trop seule. Rester connectée. Mon père affirme que c'est bon signe d'être au rez-de-chaussée. « Tu as les pieds bien sur terre comme ça. » Il a sans doute raison.

27 décembre 1998

La chambre est immobile, moi aussi. Je ne suis pas sortie depuis trois jours. Je n'ai plus le sens de rien. Les plateaux-repas repartent intouchés. Les infirmières me voient alitée toute la journée, le visage reposant sur un minuscule édredon, l'oreiller sur mes oreilles. Elles ne me questionnent pas. J'ai juste droit à : « Voici votre traitement, bon appétit et bonne soirée. » Les pilules sont à avaler sous leurs yeux inquisiteurs. Tout juste si elles ne m'ouvrent pas le bec pour voir si c'est bien englouti. Pour moi, il s'agit de gouttes. Impossible de tricher, d'autant que je suis là pour guérir. Le psychiatre du service me rend visite. Il se pose une fraction de seconde. Cela fait longtemps qu'il est sourd. Ses yeux naviguent de haut en bas mais ne m'observent pas. La souffrance des patients l'insupporte. Tout le traduit. Ses mains agitées frottant ses oreilles, ses pieds en mouvement. Quel sale boulot, mon ami ! Oui, mais bien payé. Je tente malgré tout de capter son attention. Je sors un billet de cinq cents francs... Trêve de plaisanterie ! Je tâche de me faire connaître. Le problème de la dépression est la douleur invisible pour l'autre. Impossible à évaluer. J'ai donc mis en place une échelle d'appréciation de mon « entorse morale ». Elle se situe entre zéro et dix. Zéro étant l'état le plus léthargique, dix le bien-être. Aujourd'hui, j'oscille entre un et deux. Il décide alors de modifier mon traitement, en ajoutant un autre antidépresseur. Je donnerais tout l'or du monde pour retrouver le sourire, cet éclat unique. Je pose sur le mur la photo d'une jeune fille qui éclate de rire. Le veilleur de nuit me demande si c'est moi. Je réponds : « Pas encore ! » Nous sourions.

28 décembre 1998

Seule face à cette immensité : moi. Le bruit sourd du battement de mon cœur, comme une flûte cassée, résonne d'un air minuscule. Recroquevillée, un masque sur les yeux, je plonge dans le noir. Ce côté sombre de moi-même est épié au plus profond de ses entrailles. Je cherche la lumière, je suis perdue. Vais-je enfin trouver le fil d'Ariane ? Dans cette attente épouvantable, plus rien ne compte. Je demande à être seule. Je refuse les visites. Je ne veux pas être vue dans cet état de loque désespérée. Par respect pour moi, par respect pour eux. Je laisse mon corps flotter vers des contrées, je l'espère, plus clémentes. Je suis au milieu de l'océan. C'est une souffrance muette. Je ne peux la communiquer. Des idées noires viennent à mon esprit : « Et si je disparaissais ? » Je respire un grand coup et les chasse mentalement. Il me faut réapprendre à vivre. Me dépouiller de toutes certitudes, renaître ou mourir. Vivre ou mourir. Pas de juste milieu.

29 décembre 1998

Quoi de neuf sur terre ? Ici, il y a longtemps que les pendules sont parties faire un tour, vers un autre voyage. Ici, les voyages sont périlleux, vous n'êtes pas sûr d'obtenir votre billet retour. Une jeune fille hagarde marche d'un pas fébrile, le walkman sur les oreilles. Elle oscille entre le jour et la nuit. J'apprends qu'elle subit des électrochocs. Un homme la salue. Elle ne le reconnaît pas. Mon Dieu, pourquoi toute cette souffrance ? Je suis étouffée par la vérité des sentiments, celle qui vous explose aux yeux. Quelques éclaircies sont néanmoins au rendez-vous, je sens le poids de ma tristesse s'alléger, mes larmes s'assécher et mon passé se détruire. Je suis dans l'ici et maintenant. Merci mon amour qui m'apporte cette rosée de fraîcheur avec ce bouquet splendide. Il orne ma chambre de rouges, de pastels et de blancs. J'y puise ma force, celle de notre amour. L'indispensable forteresse que sont tes bras. Le grand amour, celui-là même que tu m'offres chaque jour. Ma tête se relève doucement. Comme le boxeur sans illusions, la rage de vivre est plus forte que tout. Je m'accroche au bas du ring et mets un genou à terre. La vie et ses farces ne sont rien à côté de la pugnacité à vouloir vivre et gagner ce tournoi. « Toi, la vie, tu as gagné quelques batailles, ce n'est pas grand-chose. Tu m'as juste appris que tout n'était pas donné simplement. Attention à toi, tu me rends plus forte. »

30 décembre 1998

Le rythme s'accélère. Mon tambour cardiaque aussi. J'émerge encore un peu plus. Le dialogue s'installe avec les autres patients. Leurs déchirements sont uniques. Ici, pas de jugement, juste des mains qui se serrent, se rejoignent et se soulèvent. Entre nous, comme des frères et des sœurs, on se console. Cet amour planant est palpable et intensif. Pourquoi ne vit-on pas cette délicatesse dans nos quartiers ? Juste un sourire, une porte que l'on retient, un klaxon qui ne sonne jamais. La paix est notre port d'attache.

31 décembre 1998

Garder le sourire, conserver l'espoir, voici mon leitmotiv. Nous nous serrons tels de petits oisillons autour d'une table qui fait office de cafétéria. Lieu de vie et d'échanges, lieu de confessions anonymes. Les questions sur nos comptes bancaires sont assez malvenues. Les souffrants ne s'intéressent qu'à l'essentiel : vous. Votre âme ou ce qu'il en reste. Une jeune femme a craqué nerveusement lors de l'une de nos conversations. J'apprends aujourd'hui qu'elle est en chambre d'isolement. Sans commentaire. Je m'accorde le temps de guérir. Je tâche de comprendre quel travail mental il m'est nécessaire de faire. J'avance. Les oscillations d'humeur se font plus rares. J'apprécie ces moments de paix. Mon défi : retrouver et épouser la légèreté de vivre. Mariage qui se fera bien entendu sous le régime de la communauté des biens.

Aujourd'hui, heure des bilans. Le 31 décembre n'est pas une fête. C'est une addition. Chacun dans son coin compte les points de ses erreurs. De toute façon, pas d'alcool, foie gras ou autres crustacés. Juste une bûche immonde moulée d'un Père Noël en retard.

1er janvier 1999

À l'endroit et encore un peu à l'envers, la journée s'installe à pas d'incertitudes. Les nuits sont toujours brassées de rêves gênants. Cependant, la foi et le désir de ma guérison sont solides comme le chêne qui s'étire devant mes yeux. Je l'observe de ma vitre. Je m'abrite et aspire sa puissance. Les couleurs reprennent forme, une à une, chacune son tour, chacune sa dimension.

Écouter les souffrances des autres ne m'atteint plus. Je n'y suis plus perméable. Je suis obnubilée par ma personne. Sauve qui peut ! Personne ne s'accrochera à mon radeau. À tout moment je peux encore chavirer. Je navigue donc en eaux légèrement troubles. Pas le grand bleu, transparent et iodé, plutôt version lagon de Bangkok. Je m'isole le plus possible. Les cassettes de relaxation m'offrent de surprenants voyages. J'apprends peu sur moi, et le temps presse. La patience est pourtant le seul remède. J'attends.

2 janvier 1999

La pluie ne cesse de marteler le sol. Sans répit. Elle m'accompagne depuis mon arrivée. Ce temps perturbé ne joue pas en notre faveur. Il nous pousse dans nos retranchements. L'humidité permanente froisse nos envies. J'ai pourtant eu la hardiesse de me rendre à l'atelier de sculpture. Ébouriffant. Émouvant au plus au point. Le tablier et les mains baignés de terre, j'ai compris la saveur du toucher. J'ai enfin donné vie. Vie à une femme. Vie à un homme. Une jouissance hors du commun. Ces êtres finissent par vous appartenir. Qui n'a jamais tenté ne peut comprendre. À la différence des châteaux de sable, ils ne s'étiolent pas. Ils sèchent et prennent leur place. Puis, j'ai marché, pour la première fois, à travers les étangs. Nous avons rencontré deux cygnes splendides. Moment de grâce dans ce climat sinistre. Une journée riche de deux trésors. La terre nous nourrit, nous fait poser les pieds sur le sol, nous enterre. La terre est la boucle. Touchant, troublant. Des changements d'humeur me perturbent légèrement. C'est positif, mais ces excitations sont si soudaines. Mon inhibition s'amenuise. Motivant. L'envie d'avoir envie resurgit. L'ambiance de la clinique devient pesante. Signe que je me sens différente. La nuit tombe. Un feu d'artifice s'amuse devant mes yeux éblouis. Sans doute un mariage ou un premier de l'an raté. L'admirer d'une clinique psy me semble surréaliste. Je le contemple comme l'arbre de Noël. J'y vois un signe de joie, de fête et de réalisation de mes désirs.

3 janvier 1999

Je m'endors apaisée, l'impression d'être adossée à un ange. Régulateur. Reposant. Ma nuit est douce comme le poil d'une biche. Je récupère. Au réveil, mon visage est comme repassé, baigné dans un nuage de roses, les traits lissés, les contours épurés. Magique. Une sorte de stabilité semble se mettre en place. J'apprécie. Je rajeunis. Formidable. Ce jour est d'un repos enchanteur. Pas un souffle de bruit ne vient déranger cet endroit non inspirant. Allongée sur une chaise longue, je laisse mon corps se gaver de soleil gelé. La lumière m'habite de plus en plus. Mes pas deviennent légers. Comme une danse, je bouge avec fluidité. J'ai déposé mes bagages à la consigne mais je ne crie pas victoire. Je suis à la moitié du chemin. Sur l'échelle d'appréciation de mon « entorse morale », je suis montée à cinq. Éblouissant. Sur cette humeur éclairante, j'ai droit à une première autorisation de sortie. Mon mari griffonne sa signature sur le carnet de l'infirmier, certifiant son statut d'accompagnant. Vingt minutes plus tard, les rues de Paris me piquent les yeux. Un «monde de 14 Juillet». Une horreur. La perfusion du matin m'a éreintée. Cette sortie me perturbe. Sous ma volonté, nous finissons par quitter «Paris-Plage». Virage vers le parc de Saint-Cloud où une verveine-tarte Tatin m'attend. Je respire de nouveau. Retour à mon domicile pour récupérer quelques vêtements. Je reprends connaissance avec cet appartement. Vision de cette chambre qui m'a tant vu pleurer. Je hais cet endroit. Nous décidons de déménager. C'est l'heure, il nous faut reprendre la route, direction la clinique. Je souffre terriblement de replonger dans cette atmosphère. Une envie de pleurer m'étrangle. Je me contiens. Pas question de craquer. Je n'ai pas le droit. Je résiste. Je gagnerai.

4 janvier 1999

La vie palpite un peu. Mon esprit s'éclaire. La certitude de guérison se renforce. Je me solidifie et me construis. Arrivée en puzzle, pièce par pièce, je me reconstitue. Grâce à une liste précise, j'éradique les points noirs de mon cerveau. La chimie aide à la guérison. Le reste naît de soi. Comme un délicieux pansement, les molécules nous embrassent. Sous le sparadrap reste néanmoins la plaie vivante : la raison de la dépression. La déloger, l'analyser, lui tordre le cou, je m'y attelle. Douloureux mais indispensable.

5 janvier 1999

La nuit de cauchemars m'éreinte. Comme un abcès, les eaux vives de ma souffrance se réveillent dès mes yeux clos. Toujours les mêmes. Images de ma mère ou de mon père annihilant et niant ma vie de femme, de mère, m'enchaînant. L'humeur est inégale. De l'exci-tation à l'anxiété, il n'y a qu'un pas. L'essentiel, viser haut et clair. Viser la paix. Chaque jour supplémentaire marque ma victoire. Mon optimisme est contagieux. J'engage les patients au même combat. «Souris à la vie, fais confiance à ta force de guérison, à ton pouvoir de renouvellement, à tes capacités. Si tu as créé cet état d'anéantissement, tu peux créer l'inverse : la santé, crois-moi. » Les oreilles abasourdies, les yeux écarquillés, ils semblent croire à mon discours. Il sonne juste.

6 janvier 1999

Doucement, la mélodie de la vie s'installe. Je nage. Dans la piscine, je me nettoie le cerveau. Comme un nourrisson, j'ai besoin de caresses. La totale régression. La bonne mère, comme le pense mon psychanalyste. C'est exact. Le besoin de chaleur. Les patients de la clinique sont tous au même degré. Un besoin d'amour torride les chagrine. Chacun son expression, mais toujours un même appel à l'attention, la compréhension, l'écoute. Ce manque féroce de mots pendant les mois de dépression, sans compter les mois où ils refusaient d'accepter leur état. Pas à pas, je semble me comprendre. L'isolement provoqué par cette maladie est tenace. La tendance à l'inhibition perdure. Il faut lutter. En cette nouvelle année, je m'engage et décide de participer à la rentrée à des ateliers de danse, de modelage, de natation. Participer aussi à des groupes de paroles, à travers certaines associations. Continuer ce chemin, aider les autres, serrer des mains, prendre dans mes bras. Sans forcément devoir payer pour être entendue.

7 janvier 1999

Jour très particulier. Fête de notre engagement d'amour. Mon mari et moi attendons cette soirée avec agitation. Conscient de l'impact d'un tel anniversaire sur mon moral, le psychiatre du service me délivre une autorisation exceptionnelle de sortie. Excitée comme une puce, je suis limite speed. Est-ce la perfusion dont j'accélère en cachette le débit afin de sortir plus tôt ? Peut-être. Je rentre dans mon appartement. L'horreur. Je le déteste dès le frottement du code de la porte d'entrée. Il me pétrifie. Toutes ces heures de souffrance, de larmes, ces visites de médecins en tous genres éclatent ma mémoire. À peine franchie, l'oppression se fait intense. Je veux anéantir ce passé. Tourner une page essentielle à ma guérison définitive. Comme des vacances, je prends du recul sur ma vie. Je note certaines dispositions. Efficace comme moyen. Il faut être radicale. Couper toutes les herbes mortes. S'écouter vraiment est particulièrement fastidieux.

8 janvier 1999

Arrêt de la perfusion. Passage aux comprimés. La déperdition est nette. Le système digestif métabolise moins vite la molécule. Dans la veine, c'est une évidence, une vraie liqueur. Je sens le changement et la descente. Nous allons peut-être tâtonner pour trouver le rendement égal à la perfusion. Je passe par toutes les couleurs de l'arc-en-ciel. De la plus gaie à la plus triste. Je suis patiente. Ce n'est qu'une question de semaines. Je rejoins les patients. Ils portent bien leur nom. Il est interdit aux infirmières de prononcer le mot malade. Cela vous empêche de guérir. Ces malades très patients me saluent d'un « Alors, comment as-tu dormi, as-tu le moral ? » Ici, à la question « Comment ça va ? », on a le droit de répondre « Mal ! », de prendre tout le temps nécessaire pour expliquer le pourquoi du comment. De plus, cela intéresse tout le monde. Ces hommes et ces femmes me permettent de m'oublier un peu. J'apprends la vie. Du pétage de plomb, en pleine circulation, à l'alcoolisme d'une très jeune femme victime d'attouchements durant son enfance. Ils tiennent tous la façade, moi de même. Nous savons que nous sommes encore très fragiles.

9 janvier 1999

Drôle d'ambiance. Les montagnes russes. Toutes les deux heures, je subis un changement d'état. Tristesse, oppression, angoisse, fatigue, gaieté. Rien ne m'est épargné. J'appelle mon psychanalyste. Il me rassure. Le passage de la perfusion aux comprimé est délicat. La barrière intestinale faisant obstacle, le corps bénéficie d'une substance antidépressive réduite. « Comptez deux, trois jours », me dit-il. Pourquoi faire simple ? Je subis. J'ai l'habitude. Je ne reste pas en place. Ne pas penser à mon état. Faire confiance. Garder la foi. J'y parviens. Je souffre moins. Je rejoins les groupes. Les dépressifs évoquent leurs médicaments, leurs effets secondaires, leurs tests de différentes molécules avant de tomber sur le bon. Nous vivons les mêmes essais, tentatives, échecs ou réussites. Nous remarquons ceux qui sourient davantage que la veille. Nous les envions.

10 janvier 1999

Branle-bas de combat. Un nouveau patient débarque. C'est mon voisin. Un fou. Complet schizophrène. Il entre dans ma chambre, agressif. Heureusement, je ne suis pas seule. Son délire est total. Que fait-il là ? Il a été viré d'un hôpital psy « hard ». Intéressant. C'est moi qui trinque. La communication est impossible. Il n'a pas de limites. Il est jeune, vingt et un ans environ. Il me fixe. Je panique. Il agresse toute l'équipe des patients. Le soir tombe et mon angoisse s'accentue. Je suis ici pour dépression, et je suis en train de sombrer dans la peur et la parano. Normal avec un type pareil à mes baskets. J'interpelle l'infirmière pour que l'on me protège. « Il est souffrant, me répond-elle, il faut le comprendre, il est mal dans sa tête. » Je rétorque : « Ah bon, parce que nous, on est au Club Med peut-être ? » Regard gêné, elle ne continue pas la conversation et s'esquive. La salope. Démerdez-vous. Je me rends chez le veilleur de nuit. Un Martiniquais adorable. Il compatit et prend l'affaire au sérieux. Affolée, j'appelle mon mari. Idée géniale, il me propose de me faire enfermer, à savoir que l'on verrouille ma porte. Le monde à l'envers. Lui, l'agressif, on le laisse errer dans les couloirs, moi, pétrifiée de peur, je dois vivre cloîtrée. J'accuse le coup sérieusement. Pour la première fois depuis un mois, je fonds. Je pleure. À peine plus d'un Kleenex, mais quand même. La folie fait peur. Les appels au secours sont entendus par les responsables de la clinique. Non sans mal. Il a fallu attendre qu'il tente de pénétrer dans ma chambre durant la nuit. Heureusement, ma porte était fermée à double tour. Il est maintenant en chambre d'isolement. L'horreur. Dorénavant, je ne supporte plus les autres patients. Leurs névroses, psychoses et autres pathologies m'emmerdent. Je pense définitivement à ma gueule. Pardon pour le ton trivial. Il a fallu ce « tilt » pour la prise de conscience. J'arrête de buvardiser les autres. La sage-femme du cerveau, terminé. Merci bien. J'ai entrevu la vraie folie. Celle qui vous fait courir à mille kilomètres à l'heure. Lorsque la communication est rompue. La bulle de l'autre inaccessible. Il est dans son monde. Je suis dans le mien. Je suis mal, fatiguée, rompue. Cette matinée, cette soirée, cette nuit à gérer ce stress contrarie le travail de la molécule. J'ai hâte de retrouver les « normaux ». Je m'asphyxie. Je rêve d'iode, de mer salée, de vagues qui claquent sur la digue. De fraîcheur.

11 janvier 1999

Le bonheur semble me prendre par le cou. Les réveils sont toujours brumeux. Une fois hors du lit, le voile se déchire. J'appartiens de nouveau à la vie. Le soleil est de la partie. Je marche dans le parc, rencontre des dépressifs. Ils ne m'agressent pas. Je les écoute à peine. La musique sur les oreilles, je n'ai qu'une envie : danser. Nous rejoignons Paris pour une sortie autorisée. Je suis une touriste. C'est délicieux. Nous pratiquons le lèche-vitrines. Mes pas sont légers. Je touche du doigt la clarté du jour. Je suis paisible. Par un heureux hasard, nous tombons nez à nez avec un couple d'amis. Je témoigne d'un humour et d'une lucidité d'esprit hors de mon paysage habituel. Ils m'admirent, interloqués. S'ils savaient. Ce soir, je serais couchée sur le lit bancal d'une clinique.

12 janvier 1999

Le physique est de retour. Envie de faire du vélo. Étonnant. Nous sortons de la clinique pour quelques heures. Nous louons une sorte de tandem. Nous voilà, pédalant dans la joie et la bonne humeur à travers les allées. Je n'en reviens pas. Mes forces décuplent. Mon corps m'appartient. Je ne suffoque plus au moindre effort. Quelle sensation d'ivresse. Je jouis et jubile. Deux ans sans cette manifestation de force et d'entrain. L'humeur est encore faible. Les muscles sont, eux, en avance. L'optimisme procuré redouble mon espoir.

13 janvier 1999

Comme une microsociété, la clinique s'est autogérée. Surprenant résultat. L'alcoolique en cure de sevrage picole derrière un bosquet ou fait le mur. L'ex-toxico en sevrage d'héro deale son shit tranquillement dans le parc. Quant aux autres, inquiétants, ils se refilent leurs pilules. Plus ceux qui attendent l'état de manque des fumeurs pour vendre leurs paquets dix balles de plus. Et tout le reste. Tout passe. Une femme hurle dans le couloir et dénonce ce trafic. La balance. Elle sera désormais recluse. Les fouilles deviennent maintenant systématiques. Les piqûres, tests d'alcoolémie ou d'intoxication, obligatoires avant l'acceptation d'une sortie. Est-ce un bien ? Personne ne forcera quiconque à se guérir contre son gré. Les placements sont souvent involontaires. Les êtres sont sous curatelle, à savoir qu'ils n'ont plus accès à leurs ressources financières. Les abus de ce style sont légion. J'apprends avec écœurement l'œuvre d'une pourriture. L'histoire de deux sœurs. Elles se détestent. Autour d'elles, plus de famille, mais des biens. L'aînée engage la cadette à venir visiter une abbaye. Celle-ci y voit l'ombre d'une éventuelle réconciliation. Une fois arrivée devant les grilles de la clinique, le piège se referme. « Mais où sommes-nous ? se demande la cadette âgée de soixante-cinq ans environ, ça ne ressemble pas à une abbaye. – Ne t'inquiète pas, il nous faut acheter les billets, c'est juste derrière ce bâtiment, tu verras, c'est splendide ! » répond l'aînée. Peu méfiante, la cadette pénètre dans le hall. Deux molosses se jettent sur elle. Piqûre immédiate pour légumiser. L'aînée est heureuse de son atrocité. Elle s'est acharnée à prouver que sa sœur était folle. Tout le système l'a crue. Et l'impensable est devenu réalité. Pas un médecin n'est venu faire une contre-expertise. Cette femme a dorénavant perdu tous ses droits. Elle erre, sonnée, à travers les couloirs. L'espèce humaine est parfois à vomir.

14 janvier 1999

Coup de stress. L'infirmière me délivre mon médicament. Une sorte de liquide bleu lagon. La couleur est inhabituelle. Peut-être un reflet de la télévision en marche. Erreur, je viens d'avaler la potion magique de la chambre d'à côté. Flip majeur. Qu'est-ce donc ? Un antiépileptique, un neuroleptique, un stabilisateur d'humeur, un antidélire ?... L'infirmière stresse un maximum. Elle se renseigne. « Rassurez-vous, ce n'est qu'un tranquillisant. – Mais avez-vous mis mon antidépresseur dans le liquide ? – Je crois ! » bégaie-t-elle. J'ai compris. Je n'en saurai pas plus. Avouer son erreur, ce serait prendre le risque d'un rappel à l'ordre, d'un blâme, voire d'un licenciement. L'institution psychiatrique, comme le milieu carcéral, donne de toute façon raison à l'aide-soignant, au surveillant. Seule la nuit viendra m'éclairer. Dans cette chambre au décor minimaliste, je crève de chagrin. D'un coup, la route me semble longue. Sans fin. Je craque. Pleurer me délivre un peu. Je voudrais m'anéantir. Ne plus peser sur mon mari. Lui offrir la tranquillité. En même temps, ne pas entendre ses mots d'amour est insupportable. Le malade est égoïste. Comment peut-il faire ? Il lui faut bien poser sa tête. J'ai des larmes plein les poumons. J'implose. Me plaindre auprès de mon conjoint n'est pas la solution. Je refuse d'ailleurs les visites. Les conversations téléphoniques sont abrégées. Le laisser respirer. Vivre normalement. Mon face-à-face est terrible. Il faut tenir debout. Contre vents et marées. Ne plus s'épancher. Être forte. Absolument. Tout le temps. Je vais le tenter. M'y astreindre.

15 janvier 1999

Cette dépression ressemble trait pour trait à un immense chagrin d'amour. Comme si je portais le deuil. Deuil de l'amour mal reçu, deuil des trahisons subies, deuil des manquements des êtres chers, deuil des enfants non nés. Accepter que la vie ne soit que passage. Une femme m'a laissé entendre son envie de se suicider. Je lui ai répondu : « Sais-tu si là où tu vas, c'est mieux, c'est peut-être l'enfer ? » Elle a marqué le coup et a disparu. Pour moi, « derrière » c'est une lumière éblouissante. Seulement, la nature est autre. On vous donne la vie sans que vous l'ayez demandée. On vous la reprend de même. Ce n'est pas à moi de décider. Les suicidés deviendraient, selon certains, des âmes errantes, cherchant le repos, en vain. Alors, que faut-il faire lorsque la douleur dépasse l'entendement ? Surmonter, avancer, y croire, faire confiance. J'ai beau me répéter ces mots, mon mal de vivre est capricieux. L'ombre et la lumière se marient très bien. Ils sont indissociables. Il me faut placer mon visage côté soleil. Je pousse de toutes mes forces.

16 janvier 1999

Augmentation des doses antidépressives. Ma tête est dans un brouillard épais. Conserver la même volonté, même chancelante, tels sont les mots que je me répète. L'homme possède d'immenses facultés. Prouver qu'il est plus puissant que quelques comprimés, tel est mon défi. Il est capitaine du vaisseau. Lui seul peut décider de sa guérison. Ma foi doit devenir inébranlable. Chasser le doute, l'incertitude et la peur. Un coup blanc, un coup noir. Je m'accroche à la vie.

17 janvier 1999

Le grand jour : sortie de la clinique. Oublié l'état médiocre des jours précédents. Je me réveille dans l'allégresse la plus totale. La sortie est pour moi synonyme de guérison. Les psychiatres me confortent dans cette idée : mon traitement antidépresseur a besoin de plusieurs semaines pour agir pleinement. Je quitte ce lieu triomphante, débordante d'envie d'entreprendre, la tête dans les étoiles, les pieds bien sur terre.

18 janvier-12 mars 1999

Les premières semaines s'écoulent, euphoriques : reprise de mes contacts et de mes activités professionnelles, prospection et obtention de nouveaux contrats. Je suis enfin réassurée quant à ma capacité à atteindre des objectifs. Un bien-être s'installe. Une puissante énergie décuple mon potentiel. Fabuleux. Je suis certaine d'être guérie. Gonflée à bloc, poussée par une force rayonnante et positive, je suis dès lors persuadée de ne plus avoir besoin de molécule antidépressive. Je m'automédique et baisse les doses. Erreur fatale. Un mois suffit à me déchirer. Convaincue que c'est juste l'état de sevrage, je tiens bon la descente. Tout schuss ! Deuxième erreur. Je continue à descendre. Je glisse subitement. En deux mois, je retourne au point de départ. Non !!!

13 mars-17 mars 1999

Clouée au lit du matin au soir, du soir au matin. Sans bouger. Sans me laver. Sans m'alimenter hormis le soir parce que mon mari m'y oblige.

18 mars 1999

Scotchée devant la télé, ce qui constitue un progrès, je n'ai aucune appétence. À rien. Sortir, affronter ou goûter le monde est un obstacle. Je reste tétanisée. Une stalactite. Seule différence, en comparaison des journées précédentes, je ne traîne plus en chemise de nuit. Je m'habille. En noir. Est-ce un signe de retour à la vie ? L'après-midi fait place à une grande audace : je me lave les cheveux. Les laissant sécher, je me liquéfie dans une douce torpeur. Mon esprit vagabonde comme dans un grand sourire. J'ai l'impression de rêver en couleurs. C'est bon, je me laisse flotter. L'antidépresseur que j'avale depuis six mois et dont je reprends la dose initiale redeviendrait-il mon meilleur ami ? Est-ce le résultat de mes réflexions et de ma résolution : couper tout contact avec ma mère ? Celle-ci, malgré mes silences répétés, mes mises en demeure, continue à travers ses lettres et appels téléphoniques à me torturer sur le terrain de la culpabilité avec la même perversité.

19 mars 1999

Douloureux et délicat réveil. Je sens tout de même vibrer quelques miasmes d'énergie. De brefs remous positifs prennent forme : reprise des activités, envie de communiquer, non-gêne de la lumière, légère envie de me déployer, curiosité montante, contacts plus faciles avec les autres. Je quitte enfin mon domicile. Je me mets la pression. Lorsque je marche, j'ai la sensation d'être droguée. Désagréable. Je suis dans du coton. Je me dis que ça va passer. La soirée est douce. Je suis contente de mes échantillons d'efforts. Je me félicite.

20 mars 1999

Changement. Me projeter dans la vie est de nouveau à l'ordre du jour. J'organise un déjeuner en terrasse. Un peu angoissée, je sens, tremblante, un semblant de vie. Épanouissants, mes rapports aux autres sont harmonieux et enthousiastes. L'envie de communiquer semble renaître peu à peu. Rencontrer de nouvelles personnes est un souhait comme on changerait l'eau de son aquarium. Je passe à mon club de sport. Je tente d'ailleurs de faire une séance. J'arrête au bout de dix minutes, anéantie par le médicament. Puis rendez-vous pour un apéritif entre copines. Moment délicieux et jovial. Comble du bonheur, elles me complimentent sur ma bonne humeur. Elles me demandent quel est mon truc. C'est la meilleure de l'année. Je leur rétorque avec un grand sourire : « Rien ne vaut le magnésium ! »

21 mars 1999

Hyperfatiguée. Étrange. Je n'aime pas ces variantes. Surprenant, l'appétit est de retour. Je constate que la faim est reliée au moral par je ne sais quel connecteur. Le début de journée me voit un peu tendue mais je retrouve un certain intérêt pour la lecture. L'après-midi est moins glorieux. J'essaie un nouveau mélange de magnésium-fleurs d'oranger. Je suis totalement « stone », avec en prime des pertes de mémoire. Bonjour les neurones. J'ai l'impression de marcher sur un fil. Pour sortir la tête hors du cosmos, j'avale une soupe de coca avec un zeste de café serré. Mon énergie remonte. Je suis moins « junkie ». Je reste angoissée toute la soirée. Le café-coca de dix-sept heures réveille mon anxiété. Puissant comme anxiogène. Je me dépose deux Tranxène dans le bec, ça passe. Je m'endors complètement remuée. Un cauchemar monstrueux me laisse ses empreintes. Ma mère aurait accouché d'un monstre. Un enfant conçu illégitimement. Elle l'aurait gardé, caché dans sa salle de bains, afin de ne pas exposer sa difformité. L'enfant au corps immonde pleure dans mes bras. Je ne sais comment le consoler. Je ne suis pas encore totalement délivrée de mes peurs. J'arriverai à m'en débarrasser. Je me laisse un peu de temps.

22 mars 1999

Je suis complètement dans le schpountz. Je me motive, j'ai rendez-vous avec mon médecin psychanalyste. Je subis une légère crise d'angoisse durant la séance. Le médecin apaise mon inconscient par sa quiétude et sa positivité. Il me confirme que le traitement thérapeutique n'est qu'une béquille. Pour avancer dans l'analyse de ma dépression et éviter une possible rechute, je dois m'astreindre à deux séances hebdomadaires de psychothérapie. Je sors comme libre et soulagée. Au milieu de l'après-midi, j'éprouve une sensation insolite. Je suis comme fanée de l'intérieur. La séance m'a remuée. Que peut-il y avoir dans cet inconscient qui m'attriste autant ? Je pratique la relaxation. J'expulse cette douleur. J'utilise cette énergie, non contre moi mais pour reconstruire ma vie. Je me complimente pour mon courage. Pourriture. Je recommence à percevoir cette infinie tristesse. Est-ce ma séance ? Je suis catastrophée. Je me force à expulser mes ressentis. À vingt-deux heures, je craque. Je fonds en larmes, suppliant Dieu et tous les saints de me guérir de cette dépression. Mon mari tente de m'aider mais je note dans ces yeux un petit ras-le-bol, du style : « Quand va-t-elle en sortir pour de bon ? »

23 mars 1999

Une envie féroce est en gestation. Celle de me battre contre mon isolement, mes souffrances. Un coup de téléphone bienveillant me sort de ma torpeur. Je travaille tout de même. Je vaque aussi à des obligations ménagères. Tout est ardu. Je mérite une médaille pour chaque mouvement. Vivre me demande du courage. Aberrant. Le seul point positif, je ne suis pas restée couchée. Apparemment, j'ai repris un peu de tonus. Je ne me sens ni en colère ni noyée de chagrin ou de tristesse. Nous faisons pratiquer une analyse de sang ordonnée par un médecin nutrithérapeute, dont l'objet est d'établir très précisément le dosage des neurotransmetteurs annonciateurs ou révélateurs d'une dépression. À savoir, la dopamine, la sérotonine, la noradrénaline. Totalement nouveau et rarement pratiqué, cet examen est très coûteux, et non remboursé. Il n'existe qu'un labo à savoir le pratiquer. Pour cela, nous lui remettons mes urines de vingt-quatre heures, et divers tubes de sang. Résultat dans une dizaine de jours. Je compte les heures.

24 mars 1999

Pas le moral. J'annule tous mes rendez-vous. Le début de journée apporte le même schéma. Je pleure et ne déjeune pas. Je dors tout l'après-midi. Néanmoins, vers dix-neuf heures, je me force à préparer le repas et à me laver. Tout est toujours laborieux. Je ne sais vers qui tendre la main, existe-t-il des associations ? Je suppose que non. Les «Dépressifs anonymes» ? Je navigue sur le Minitel. Non, il faudra l'inventer. La nuit est agitée. Je mets deux heures à m'endormir. Le bilan de ma vie s'amuse sur le vélo qui poursuit inlassablement «son tour de cerveau». Je me réveille deux fois trempée de sueur. La guerre contre soi est le plus terrible des combats. Désemparés, mon mari et moi décidons d'un commun accord de prendre un autre avis et de consulter, une nouvelle fois, un psychiatre.

25 mars 1999

Réveil déficient. Début de journée guère plus encourageant. Je ne mange pas. Je ne sors pas de ma chambre. Je me torture. Franchement en descente. Je ne supporte plus la lumière du jour. Je veux me déconnecter de toute vibration. Mon mari vient me chercher pour aller voir ce nouveau médecin. J'ai peine à me lever. L'impression d'avoir fait trois fois le marathon de Paris. Exténuée. Le psychiatre écoute mon histoire. Il prend la décision de me passer à 100 mg, le double de ma dose actuelle. Je sors catastrophée. Deux heures de «down» total. Monter les doses est pour moi un constat d'échec. Le psychiatre affirme que je suis sous-dosée. Il me prescrit de plus un hypnotique. Je n'en prends qu'un demi-comprimé. Pas envie de fusiller trop de neurones. Mais au point où j'en suis, ai-je le choix ?

26 mars 1999

Changement de programme. Le rideau semble se lever. J'ai comme une douceur à l'âme, quelque chose de rare : la légèreté d'être. Je décide de m'occuper de moi et de sortir. Quitter ma bulle protectrice est une véritable violence, mais si je coupe le cordon ombilical qui me relie à la vie, je peux très vite perdre pied. Quelques cafés sont néanmoins nécessaires pour me tirer d'un léger engourdissement. L'après-midi me voit calme, sans angoisse, sans excitation, sans stress, comme si je ne prenais aucun médicament. Le soir, au coucher, mon mari me demande si je compte monter les doses comme le souhaite le médecin. Je suis réticente à grimper. J'ai peur de grossir. Il se met en colère : « Tu ne veux pas te donner les chances de guérir. » Je ronchonne, lui expliquant que ce n'est pas si facile. Il comprend mais insiste. Je le rassure. J'augmenterai comme nous l'avons prévu. Je l'aime. Il est toute ma vie. Toute ma force. Sans sa main, je suis morte.

27 mars 1999

Mon mari part de bon matin. J'ai envie d'être à ses côtés, de goûter sa présence. Il est ma pile, la fontaine d'énergie où je m'abreuve. Il est le médecin, le psy, l'amant, le frère, le père, l'ami, l'unique repère. Je veux qu'il sache que je l'aime, que son soutien, c'est ma résistance, mon espérance. Son attention est totale, son jugement inexistant, sa patience exemplaire. Ce qui est le point commun de tous les souffrants, notre trait d'union, c'est l'amour et la main de l'autre qui nous retiennent, nous soulèvent et nous font marcher, de nouveau, vers la vie.

28 mars 1999

Comme chaque matin, je prends la température de mon moral. Neutre. Pas d'appréhension pour la journée. Manque total d'énergie et d'enthousiasme. J'avale trop de café. Raide comme un arc. Les pics d'insuline provoqués par la caféine me donnent la sensation d'être quelqu'un. Carrément angoissée vers dix-sept heures, je ronge mon frein et attends l'apaisement. Avoir visité ma belle-mère a remémoré le fait que nous n'avons toujours pas d'enfant. Mon mari et moi faisons l'amour. Ma libido est au plus bas. Depuis des siècles. J'éprouve pourtant un tel amour, une telle fusion. C'est merveilleux. Une fugace envie de pleurer m'assaille. Je me sens très fragile de nouveau. Que se passe-t-il ? Mon mari ne comprend absolument pas ces brusques cyclones de tristesse. Je n'ai pas d'explication.

29 mars 1999

Complètement groggy. Je ne bouge pas du lit. Je n'ouvre pas les volets. Je suis spectatrice de ma propre vie. Je reste toute la journée couchée, avec l'impossibilité de faire quoi que ce soit. Tendre le bras pour boire de l'eau est au-dessus de mes forces. C'est simple, à force de m'écraser sur ces oreillers, j'ai l'impression d'être froissée à l'intérieur. Mon moral faiblit d'heure en heure. Je ne comprends pas ces baisses puisque j'ai augmenté mon traitement. J'arrive péniblement à préparer le repas. Mon homme me force à dîner. Sans appétit, je me contrains. La vie n'a aucun goût.

30 mars 1999

Début de journée très frêle. Réveil encore plus misérable que la veille. Moral au plus bas. Je pleure dès le lever. Je ferme les stores de tout l'appartement. Je ne me nourris plus. Je ne bois plus. Je ne vais pas non plus aux toilettes. Pas la force. Alors, je me retiens. Effectivement, ça passe. J'ai l'impression de sombrer encore plus loin. J'ai peur. Je suis angoissée de voir que je ne guéris pas. Je me rendors, seule manière de ne pas penser. J'appelle mon psychiatre. Je lui fais part de mes réactions au traitement. Je commente les effets secondaires : vertiges, bouche sèche, l'impression de respirer au tuba. « Le fait d'augmenter les doses n'induit pas une guérison soudaine, il faut du temps », me dit-il ! Je geins toute la soirée. J'étouffe. J'ai envie de passer par la fenêtre. Si je le souhaite, mon mari me rappelle que je peux être réhospitalisée. Angoisse terrible. Je cogite sur cette échéance. Nous nous liquéfions dans les bras l'un de l'autre. Notre souffrance est insoutenable. Nous nous endormons enlacés.

31 mars 1999

Mon mari souligne mon regard triste. Cette remarque me remue. Je décide malgré tout de me rendre à un déjeuner professionnel. Ma fragilité ne me quitte pas. Je la porte comme un lourd manteau. Pétrie d'angoisse, je suis incapable d'avaler une bouchée. Faire la conversation est un exploit. Nous nous rendons à mon domicile pour travailler. L'angoisse continue son ascension. Vraiment pas dans mon assiette, je me vide aux toilettes. Je n'ai pas d'autre alternative. Je fais part de mon malaise à mon collaborateur. Il compatit et m'annonce avec condescendance qu'il va prendre un taxi. Ouf, je respire. J'avale deux Tranxène plus un demi-somnifère. Je tombe comme une souche. Mon mari rentre. Je suis couchée. Il ne me réveille pas.

1er avril 1999

L'oisiveté tue. Le chômage, n'en parlons pas. N'ayant plus d'activité professionnelle, je dépéris. Totalement isolée. Pas même un collaborateur inquiet de mon état. Il va sans dire que je me serais inventé une autre maladie, avouable. Ce temps « libre » est une négation de moi-même. Je profite des heures béantes pour une ultime tentative : visiter un magnétiseur. Suppliante, j'appuie ma tête sur son matelas provisoire. Il impose ses mains. Une vague chaleur me réchauffe. Cinq minutes valent la modeste somme de deux cents francs. Je le quitte peu convaincue. J'imagine tous les individus au bout du rouleau se rendant chez lui. Il y avait même un type avec son chien. Il magnétise aussi les bêtes ! L'impression de m'être fait avoir, avec tout de même l'espoir d'une vibration sublime. Je reprends ma voiture, les yeux dans le vague. La radio à fond, je m'étourdis. Sur une musique triste à crier, je laisse crever le furoncle à centaines de têtes. Je pleure toute l'eau de mon corps. Comme un robinet qui n'aurait pas fonctionné depuis des années, toute l'eau sale dégouline sur mes joues. Les automobilistes m'observent. « Allez-y, le spectacle est gratuit. »

2 avril 1999

Mal de chien à débuter cette journée. Le plafond m'écrase. Tout me pèse. Je suis inutile. Je suis un poids pour moi, mon mari, la société. Je culpabilise à souhait. En chemise de nuit, j'allume l'ordinateur. Se forcer pour tout devient une gymnastique intolérable. Je comprends la honte de parler de cette maladie. Considérée par la plupart comme une immense fainéantise, un laisser-aller, la marque des faibles. Imbéciles. J'imagine que la solution, c'est la fuite en avant. Se jeter à corps perdu dans une activité, quelle qu'elle soit. Je carbure donc sur mon ordinateur, ni triste ni gaie. Je ne vois pas le temps passer. J'ai l'impression qu'il faudrait que je me repose, que je laisse la molécule faire son travail. La solitude me pèse sérieusement. Je laisse alors tout en vrac. Je me rends chez le coiffeur. Besoin d'entrevoir des humains. Besoin de superficiel, d'odeurs, de maternel, de séduction. Les femmes qui papotent pour des conneries m'agacent. Je suis encore à côté de mes pompes. Personne ne paraît s'en soucier ou s'en apercevoir. J'observe mon visage dans le miroir. Quel fantôme ! J'ai l'œil vide de la carpe mourante. Se forcer à sourire, je n'y arrive pas. Je sors, transie. Personne n'est dupe.

3 avril 1999

Je ne pense à rien. Ça détend. Mon moral paraît plus stable que les jours précédents. Chaque minute de gagnée, chaque jour, chaque nuit est comme une pierre blanche sur ce chemin sinueux. Je suis de moins en moins perdue. Le courrier m'apporte le résultat des analyses des neurotransmetteurs. Ceux-ci sont au plus bas. Ce qui signifie que le traitement antidépresseur n'a aucun effet. Catastrophe. Tout serait-il donc à revoir ? J'attends l'avis de mon mari. L'après-midi, plutôt que de regarder les mouches au plafond, je nettoie la maison, fais les lits. Tout travail physique me fatigue rapidement. Le médicament m'ôte beaucoup d'énergie. Intellectuellement, je ne suis nullement productive. Je m'avale deux grammes de vitamine C plus un cocktail de vitamines. L'impression que cela agit dans le même sens que l'antidépresseur. Nous invitons notre famille à dîner. M'intéresser à eux me fait du bien. Ils me trouvent l'air apaisé. Tant mieux. Décidément, je cache bien mon jeu. Le maquillage transformerait un crocodile en colombe. Il est tard. Nous nous couchons. Le carrosse de Cendrillon se transforme de nouveau en citrouille.

4 avril 1999

Une larve. J'ouvre un œil puis deux à midi. Et encore parce que mon mari me réveille. Lorsqu'il m'observe, je perçois la même interrogation, celle de la veille et de l'avant-veille : « Comment va-t-elle aujourd'hui ? » Je me dépêche de lui sourire. Il semble rassuré. Je me pose la question : « Comment aurais-je vécu à sa place, aurais-je cette patience, cet amour, cette compréhension, cette sollicitude ? » Je ne sais pas. Non, peut-être. Sans lui, je ne serais sans doute plus de ce monde. Nous sommes des funambules dans la nuit. Ces êtres chers, comme des cordons ombilicaux, nous relient à la réalité, au quotidien et par conséquent à la vie. Le début de journée est instable. J'arrive néanmoins à me concentrer sur un film. Chose que je ne pouvais pas imaginer une seule seconde en début de dépression. Suivre la construction d'une histoire me paraissait même être une sorte de labyrinthe. J'ai légèrement mal à la tête. Je sens comme un pincement de tristesse. Pourvu qu'il n'explose pas, qu'il se désagrège ! Mon cerveau est un vrai morceau de gruyère, les trous de mémoire s'accumulent. Je finis par éteindre ce poste maudit.

5 avril 1999

J'ai l'impression d'avoir boxé avec Mike Tyson. Je suis complètement droguée. Mon humeur semble meilleure quoique je sois plus étourdie qu'il y a cinq jours. Serait-ce les doses qui se cumulent ? Je suppose. Je bois des litres d'eau afin d'épurer un peu mon cerveau légèrement embué. Cet état vaseux ne me déplaît pas. Au moins, je ne souffre pas. Je bosse sur mon ordinateur. Avec la hausse de l'antidépresseur, ma vue a encore baissé. Sans lunettes, je ne sers à rien. J'éprouve soudain l'envie d'appeler une copine. Le fait de ne jamais parler, d'être seule en permanence, est un élément défavorable à la guérison. Mais que puis-je faire ? Je n'ai même pas la force de quitter mon appartement. Il me reste encore le téléphone. Je reste très exactement trois heures trente-quatre minutes en ligne. Je raccroche, épuisée. Je réalise que je viens de faire Paris-Lyon plus trente minutes de métro. Cette conversation m'a vidée. Mon interlocutrice m'a livré toute sa vie en accéléré. Entendre ses errances m'a demandé un effort considérable. Je n'ai pas pu parler de mon état. Ce bla-bla m'a rendue anxieuse. Je m'endors péniblement.

6 avril 1999

Je bondis d'une traite. Je suis comme en manque de la molécule antidépressive. Je réalise que je suis seulement à vingt pour cent de mon potentiel vital. Je réfléchis à la raison possible de cet état. J'ai modifié la prise de mon médicament. Au lieu d'attendre que deux heures se soient écoulées après le dîner, je l'ai avalé en même temps que d'autres aliments. J'ai la nette sensation que prendre les antidépresseurs à distance des repas améliore totalement leur rendement et leur efficacité. Je me promets de ne pas refaire la même erreur. Du coup, fatiguée, et sans doute en colère contre moi, je me recouche. Mince. Je n'ai plus envie de me lever. Je prends conscience que je porte plus d'intérêt à ma vie onirique qu'à ma vie. Ne pas tomber dans ce genre de travers. Décidément, je n'ai pas encore changé les mauvaises habitudes engendrées par l'état de dépression : fuir la réalité. Je me force littéralement à me lever. J'avale un thé, puis deux, trois, quatre. J'évite effectivement le café. Je commence à comprendre ce qu'il ne faut pas faire. Il est temps. Modifier ses comportements est éprouvant. Il me faut assumer de nouveaux usages. Je m'accroche. Je me suis aperçue que plus je dors, plus je suis déprimée. Est-ce le manque de lumière qui joue sur le cerveau ? D'après de récentes études sur les dépressions saisonnières (de novembre à mars), il est établi que l'influence de la lumière est capitale. Celle-ci modifierait certaines hormones dont la mélatonine, précurseur du sommeil, et d'autres, génératrices de notre bien-être. Notre métabolisme, privé de sa dose nécessaire de lumière ou de luminosité, ne produit plus les substances nécessaires à son équilibre. Pour remonter le taux de ces dites hormones durant les journées courtes de l'automne et de l'hiver, les dépressifs ont recours à une méthode, la photothérapie, qui consiste à fixer une lampe extra-puissante (qui ne génère ni UVA ni UVB). Jusqu'à présent réservé au milieu hospitalier, cet appareil est aujourd'hui commercialisé. Je cours l'acheter. Il coûte une fortune. Tant pis. Ma guérison n'a pas de prix. Le magasin a été dévalisé. Il reste le modèle de démonstration. Je supplie presque le vendeur de me le céder. Il accepte. De retour à mon domicile, j'allume les super-néons. Quinze minutes et je suis prise d'un très violent mal de tête. J'interromps la séance. Je sens que mon cerveau est atteint. C'est clair, mais dans le mauvais sens. Je fonce sur la notice au chapitre des effets secondaires. Je découvre avec stupeur qu'il est interdit d'utiliser cet appareil alors que l'on est sous antidépresseur. Les conséquences peuvent être graves et dangereuses. Désillusion supplémentaire.

7 avril 1999

Endormie à trois heures du matin, le réveil à sept heures est apocalyptique. Je suis dans la neuvième dimension. J'avale mon petit déjeuner. Comme un robot, je me rends chez une iridologue. Elle allume son appareil ophtalmo-loupe. Elle m'ausculte consciencieusement la pupille, l'iris et le blanc de l'œil. Sa main gauche prend des notes. Elle me rassure : ce n'est pas la nuit des temps. J'avance, à pas moyens, mais j'avance tout de même. Mon terrain général est perturbé en deux points : la partie hépatique qui a du mal à ingérer tous ces comprimés et le manque de magnésium et de vitamines B essentiels au bon fonctionnement du système nerveux. Mon iris confirme mon terrain spasmophile, hyperréactif à tout. La nette tendance à buvardiser le monde et mon entourage. Les spasmophiles sont des personnes qui consomment toutes leurs réserves d'énergie sans s'en rendre compte. Elle me demande d'être extrêmement vigilante sur les stress. Apprendre à distancier les éléments, que ce soient les stress positifs ou négatifs. Me défouler dans une activité sportive. Elle me vante la natation qui répondrait en même temps à un délassement profond et à une régénération de mon capital-énergie. Je prends la résolution d'aller nager le soir même. Cette séance chez l'iridologue m'a bouleversée. Je ressors confiante mais paradoxalement anxieuse. Je reporte ma séance de sport. Je préfère bouquiner et travailler un peu. Le but : me changer les idées. Le besoin de prendre un bain très chaud à la lavande me taraude. Il semblerait, selon certains spécialistes, que le contact de l'eau remonte, dans notre corps, l'hormone de bien-être qu'est la sérotonine. Les massages y contribuent également. Question instinctothérapie, je suis au point. Je reste vingt bonnes minutes dans ce bain délicieux. J'ingurgite cul sec deux laits de soja. Je suis déjà un tout petit mieux. C'est fou comme j'éprouve ma fragilité. Ces modulations de biorythme me fusillent. Épuisant. Je n'arrive pas à me coucher avant quatre heures. Les cycles sont tourneboulés. Mon métabolisme est complètement déréglé. Un grand pas en avant, deux pas en arrière.

8 avril 1999

Je passe la journée vautrée. J'éprouve une grande délectation à me réfugier sous les draps. Mon chat, comme un ange délicat, pose sa patte sur mon visage, me lèche et ronronne. Cette petite boule de poils me dépose des tonnes d'amour et m'envoie des « sauve-qui-peut » du regard. Elle m'éjecte du lit. Comment imaginer qu'un animal domestique puisse m'aider à retourner à des préoccupations terriennes. Merci mon chat. Je m'éveille. Dix-sept heures ! J'ai du mal à assumer ces étapes de hauts et de bas sans me détruire. Je me pousse à m'intéresser à un truc bien zone qui passe à la télé, du style : *La Croisière s'amuse*. J'en suis arrivée à ce point : *soap sauce*. C'est effectivement grave. J'allume mon ordinateur. Aucun de mes gestes n'est spontané. Il me faut trouver un sens à ma vie. Je réfléchis et n'en vois aucun. Est-ce là la raison de ma dépression ? Je tente de me conforter. Je me prends davantage en charge. Je positive chacun de mes petits efforts. Je crois fermement à la guérison. J'appelle mon psychiatre, lui fais part de mes variations. Nous ne prenons rendez-vous que dans quinze jours. La soirée s'annonce nuageuse. Je suis envahie d'une sourde vague de tristesse. Les marées ne s'arrêtent donc jamais ? Pas de répit. Elles augmentent même au fil des heures. La seule chance : je ne pleure pas. Je m'endors angoissée sur l'état du lendemain. Je lance à mon mari : « Pourvu que je sois bien... Tu te rends compte que je ne peux donner rendez-vous à personne, ne sachant pas dans quel état je vais être !... » Il ne répond pas. Il le sait mieux que personne. Il en pâtit plus que quiconque.

9 avril 1999

Rebelote et dix de der. Réveil plat, morte d'envie de rien. Effondrée de me voir inerte. Le chat qui se mord la queue. Mon mari repasse par l'appartement entre deux rendez-vous. Les stores de la chambre sont fermés. Pas besoin de commentaires pour savoir quel est mon état. Il prend tout de même le temps de me parler. Il tente une fois de plus de comprendre cet état qu'il ne soupçonne pas, il apaise mes inquiétudes. Je lui demande : « Si je disparaissais, pourrais-tu vivre ? » Il me répond sans sourciller : « Non, tu es toute ma vie. » Il rallume légèrement la lumière. Il est ma seule bouffée d'oxygène. Il déjeune sur mon lit, me réconforte comme il peut. Malheureusement, quelques étincelles ne suffisent pas à rallumer un feu. Lorsqu'il franchit la porte, je m'astreins à ouvrir les stores. J'attrape le bouquin d'un psy américain. Ce médecin affirme que la dépression vient de notre rumination perpétuelle de pensées négatives. Ce sont elles qui déforment notre réalité, d'où la naissance de la thérapie cognitive comportementale. Il tente de prouver qu'en modifiant notre façon de penser, nous pouvons sortir de l'état dépressif. J'essaie de le faire, c'est-à-dire de ne pas penser par exemple que je n'arriverai pas à sortir de mon lit. C'est une immense douleur. J'ai beau multiplier les efforts pour modifier et contrôler mes pensées, je n'y parviens pas. Comme s'il fallait intervenir bien plus en profondeur. Selon ma théorie, qui n'engage que moi, cette méthode agit seulement sur le conscient et le subconscient. Ma conclusion est la suivante : le conscient agressé provoque le stress. Le subconscient paralysé par les pensées négatives engendre les maladies, la somatisation et la peur. La dépression, elle, est générée par l'inconscient malade, noué et non libéré. Cette méthode peut donc offrir au déprimé passager ou dépressif léger une réelle transformation de son mode de pensée et de ses cognitions. En revanche, n'agissant pas sur l'inconscient, elle ne peut être d'aucun secours pour ceux qui ont basculé dans la dépression. La soirée est très glauque. Tout est sans intérêt, insipide. Je vis dans un monde absurde, avec comme seul but le néant. Le fait d'être dépassée par le cours des événements me sépare encore plus de la réalité. Je m'enfonce davantage dans les draps, emmitouflée comme un baigneur de trente-quatre ans. Mon mari débarque. Pas besoin de dessin pour deviner à mes yeux de chien battu que je déclare forfait, une fois de plus. Lui au contraire semble être en grande forme. Cela m'interpelle : « Tiens, apparemment, vivre correctement, c'est encore possible ? » Il me pousse, me presse même à quitter notre lit pour aller à la campagne. Je refuse et trépigne. Il insiste une fois, deux fois, trois fois, jusqu'à ce que je craque. Il a raison. Une fois le pied dehors, j'ai l'impression d'être plus légère. Le plus exténuant, c'est le premier pas. Je me félicite une fois que je pénètre dans la voiture. La nuit est étoilée. Je souligne que c'est bon signe de l'avoir remarqué. Profondément léthargique, je ne vois pas plus loin que le bout de mon oreiller. Nous mettons une heure pour arriver dans notre maison. Je dois dire que ce changement de lieu m'est bénéfique. J'en ressens immédiatement le bienfait. Je comprends les maisons de repos et leurs nombreux avantages. À force de fréquenter ma chambre, je la déteste. Changer d'air me donne l'impression de respirer, de vivre. Depuis le début de cette dépression, je suis un peu morte-vivante ou empaillée, cela dépend des jours. Je m'endors en espérant que demain sera un autre jour, meilleur.

10 avril 1999

Mon mari ouvre franchement les volets et m'annonce : « Il fait très beau. » La fenêtre entrouverte, je peux humer cet air frais et doux venant me caresser, comme une invitation à m'extirper de mon lit, à me désinhiber. Je m'étire. Quelle mouche me pique ? J'ai l'air d'apprécier la vie. J'attrape deux ou trois bouquins. Je descends m'allonger sur une chaise longue. Je me remémore les deux précédentes journées, et le documentaire sur les violences conjugales vu l'avant-veille. Je me promets de me censurer chaque fois que je verrai un débat ou un témoignage de personnes en souffrance. Apparemment je ne suis pas encore assez solide pour encaisser. J'ai été atteinte profondément. S'il faut se préserver de tout, ça va être du gâteau. Je me rassure, le jeu en vaut la chandelle. L'élément capital : ne pas m'imaginer plus forte que je ne le suis. Mon mari commente : « Il faut que tu fasses attention à toi ! » Oui, se pencher sur la douleur du monde ne m'enrichit pas, ça me détruit davantage. Déjà quelques mois que je ne regarde plus les infos de vingt heures. Éreintant. L'autre jour, j'étais en train de grignoter une biscotte. J'ai reçu en pleine poire le reportage sur les mourants de faim d'Éthiopie. J'ai eu beau zapper, ma conscience avait été secouée d'un grand coup de timbale. Ça résonnait encore le lendemain. Tellement habitués à écouter des horreurs à longueur de temps, nous n'y prêtons plus attention. Notre lot quotidien. Untel a tué Unetelle. En Algérie, ils ont égorgé des enfants et j'en passe et des meilleures. Qui sommes-nous pour laisser faire tout cela ? Qui parle des droits de l'homme ? À moins de manifester toute seule dans la rue, je ne vois pas comment arrêter notre fonctionnement. En attendant, je préfère me faire du bien en regardant Paris Première : le seul journal d'exception culturelle télévisuel. La journée avance et le soleil est toujours au rendez-vous. Je crois qu'il a envie de passer le week-end avec nous. Sympathique. La semaine pourrie et pluvieuse que l'on vient de vivre était assez brouillonne. Dépressif, on se fout du temps qu'il fait, mais bon, tout de même, on est plus beau sous le soleil. J'ai apporté mon appareil-photo. Je mitraille les fleurs que j'aperçois sur mon chemin. À une heure de Paris-Plage et du béton, il en existe de toutes les couleurs. Je souris. Ces fleurs me réconcilient avec la vie. Si la nature est capable de faire sortir de terre d'aussi jolis bouquets, elle doit être capable de me guérir. Je sors de ma vision du blanc et du noir. Jouissif de capter ces instants sur pellicule. Cette beauté me réconforte. Je décide d'en faire un album. Des instantanés pour chaque mois de l'année. Pourquoi pas un herbier, pendant que j'y suis... Cette régression prouve ma fragilité. La douleur morale ôte tout discernement. Je m'émerveille pourtant de rester de si bonne humeur. Pour la première fois depuis des lustres, je me tape un fou rire alors que mon homme s'évertue à me faire l'amour. Il n'ose pas m'engueuler, c'est tout de même plus agréable que de pleurer. Il m'observe simplement avec surprise. Il lui faudrait le mode d'emploi.

11 avril 1999

Ténébreux réveil. Je passe la nuit à faire trois cent mille rêves. Je suis épuisée d'avoir dormi. Je n'ai qu'une envie : me recoucher. Ouh la, je me tapote : « Ah non, pas question. » J'essaie de me rendormir mais je me sens trop coupable de somnoler encore à midi et demi. C'est tout juste si je ne me mets pas une claque. Je flippe de ne pas être en forme, encore et encore. Je décide néanmoins que je n'en dirai rien à mon époux. Il en a assez soupé. De toute façon, il sent tout. Je ferai donc un effort. Le début de journée s'annonce clément. Les oiseaux nous jouent une de leurs partitions. La chatte qui d'ordinaire s'affale sur la moquette court comme une dératée et grimpe aux arbres en feulant. Chassez la nature, elle revient au galop. Pour nous, lorsque l'on quitte le béton, on fait quoi ? On grimpe, on chante, on court ? On se porte mieux apparemment. Je passe l'après-midi à contempler les arbres et leur majesté. Je n'apprécie pas ces moments à leur juste valeur. Cette fois-ci, c'est mon homme qui est las. Comme une éponge, je capte tout. Il désire se coucher tôt, alors que je suis hyperéveillée. J'ai bu une théière de thé vert à dix-sept heures. « Bravo ma petite. La théine s'est potentialisée avec l'antidépresseur. » Comme elle est actuellement dans mon sang, je ne peux pas me calmer. J'utilise la méthode Coué : « Je sens que je m'endors, mes membres s'engourdissent, je tombe dans un profond sommeil. » Je me répète ces phrases et ne dors toujours pas. J'avale un comprimé de monsieur placebo.

12 avril 1999

Nous fermons la maison, et tombons dans les embouteillages. Ce temps à observer les voitures ne me stresse pas. Je suis plus calme. Je tente de deviner la vie des gens à travers les vitres. C'est drôle, cette tendance à toujours penser que c'est mieux dans « l'assiette d'à côté ». Retour à Paris. La soirée n'est ni bonne ni mauvaise. Je suis un peu oppressée. Mon homme commence un travail important demain. J'ai carrément l'impression que c'est moi qui vais aller bosser à sa place. Si, en plus, j'endosse le rôle des autres, on n'est pas sorti de l'auberge. Ce temps à penser est insupportable. Je me lève et vais dans le salon.

Il vaut mieux regarder une émission débile. J'attends d'être littéralement assommée pour me recoucher.

13 avril 1999

Une amie se fait opérer de la thyroïde ce matin. Je ne cesse de penser à elle. Premièrement, parce que je sais qu'elle est seule à affronter cette épreuve. Deuxièmement, elle a eu le malheur de m'appeler de sa chambre d'hôpital pour me raconter ses frayeurs du lendemain, le cancer du sein de ses voisines de chambre. Bref, je n'ai pas digéré, et ce matin, tous mes blocs opératoires m'ont explosé à la tête. Merci pour le coup de fil. Pourquoi ai-je décroché ? Sortir est encore une épouvante. Je ne supporte plus de m'habiller en noir. Je n'arrive pas plus à assumer des couleurs vives. J'essaie de ponctuer tout ce noir par du beige et du marron. Vu ma mine, il faudrait carrément ajouter à ce déguisement un masque de clown. Je sors en rasant les murs. Lorsque je rentre, je me mets à bosser. Je travaille actuellement en tant que conceptrice-rédactrice pour une banque marocaine. Je dois trouver l'accroche et le visuel de la campagne publicitaire de la carte Visa. Magique, j'imagine le visuel d'un homme d'affaires se balançant dans un hamac, la carte bleue fièrement exhibée de la main droite. L'accroche est la suivante : « Plus besoin de courir, ma carte Visa s'occupe de tout. » Vendu, le client achète. Je vais pouvoir mettre du beurre dans les épinards. Où vais-je chercher cette inspiration ? Je n'en sais strictement rien. Cette petite poussée de vie me motive. Je lis des tonnes de livres sur la dépression, je visite les sites tout en dévorant deux tablettes de chocolat. Celles-ci provoquent une montée de la sérotonine. Comme un médicament, elles me soulagent rapidement et m'euphorisent presque. En plus de leur forte teneur en magnésium, elles ajoutent une paire de kilos sur mes hanches. Moins charmant. Depuis le début de cette galère infernale, j'ai dû prendre environ cinq kilos. En ne mangeant rien. À la clinique, cinq kilos de surpoids étaient un minimum, cela peut monter jusqu'à vingt kilos. Certains antidépresseurs sont même prescrits aux anorexiques. Le but : les transformer en loups frétillants. Bon, les kilos, ou un peu d'apaisement ? Je choisis. Pas le gras, non ! Je me préfère mince et sinistre, tant pis. Je range les tablettes dans une boîte au fond de l'armoire, pour ne plus y toucher.

14 avril 1999

La tête dans le sac. État mauvais de chez mauvais. Je reste allongée comme une sole cuite à l'eau. Je m'écrase la tête dans l'édredon. Je me fais horreur. J'essaie de sortir gentiment du brouillard. La seule chose qui me motive, c'est le fait d'avoir commandé trois nouveaux bouquins chez mon libraire. Je fonce chez lui et déguste comme un gâteau à la framboise un livre passionnant sur la nutrithérapie. Je concentre mon attention sur un chapitre captivant qui concerne les carences de l'alimentation actuelle et les modes de cuisson détruisant complètement vitamines et minéraux. Le docteur Curtay recommande de se supplémenter tous les jours, en un complexe particulier, selon son mode de vie. Il donne un milliard de conseils judicieux. Entendu, à partir de maintenant : cuisson à la vapeur, fruits deux à trois fois par jour, légumes plus deux protéines. Le cerveau consomme à lui seul le quart de notre potentiel. Prodigieux. Malgré la lecture de ce livre, ma seule curiosité, je reste la tête dans les nuages et le regard hagard. La soirée est éprouvante, fatigante, tout est une corvée. Me démaquiller, me laver les dents, n'en parlons pas. Je me mets des coups de pied aux fesses pour tout. La nuit s'annonce plus calme. Je dévore un livre d'autosuggestion qui insiste sur le fait que le corps sait se guérir. Il suffit simplement de lui en donner l'ordre. Je m'empresse de faire mes devoirs comme une bonne élève. J'affirme en m'endormant : « Je suis en train de guérir. C'est merveilleux. Tous mes organes fonctionnent parfaitement. Je suis calme et sereine. Demain, je serai envahie d'énergie positive. Je suis confiante, je sais que je suis sur la voie de la guérison. »

15 avril 1999

Température émotionnelle, mentale et physique faible voire faibli-chonne. La méthode du bouquin a foiré. Je n'ai aucune envie de goûter cette nouvelle journée. Pourtant, une force me pousse hors du lit. La force de l'autosuggestion sans doute. Je veux tellement vaincre cette dépression. C'est un combat entre elle et moi et je gagnerai. Toute personne peut en être atteinte, à n'importe quel âge, vieillard sénile ou bébé ne sachant pas encore parler. J'essaie de ne pas m'écouter et vaque à de nombreuses occupations. Je bosse au moins trois heures. Voyant la sinistrose de mon bureau, je décide d'y remédier. Je fonce acheter du papier peint. Je le décore de bleu et de blanc. Incroyable. Le changement est spectaculaire. Genre le frère de Monsieur Propre, en mieux. Je reste stupéfaite. Toujours en quête du magicien-médecin, j'ai rendez-vous avec un nouveau thérapeute, une sophro-analyste. Sa méthode : utiliser la sophrologie pour entrer dans une conscience modifiée, et revivre notre vie intra-utérine. Ses thèses, appuyées par de nombreux exemples, affirment que l'être humain possède une mémoire de sa vie d'embryon, puis de fœtus et enfin de bébé. Retrouvant ces différents états, il nous est possible de sortir de notre saga familiale. Comme ce médecin le décrit assez bien dans son livre *L'Avenir se joue avant la naissance*, nous sommes tous porteurs d'une histoire qui ne nous appartient pas, une sorte d'héritage parfois lourd à assumer de non-dits et de secrets cachés, dont il nous faut nous délivrer. Le docteur Imbert développe pour cela une image simpliste mais claire : « Sortir de la poupée russe. » Elle tente de nous faire comprendre que nos lacunes affectives sont celles qu'ont subies notre propre mère, notre propre père, via l'éducation qu'ils ont eux-mêmes reçue de leur père, de leur mère, et ainsi de suite. Le tout est de le savoir. Ainsi libérés de ces différents poids, nous sommes à même de pardonner les manquements ou les erreurs d'éducation, et dès lors de construire réellement notre vie. La séance se déroule douloureusement au rythme d'une musique retraçant le son du battement cardiaque d'une mère en gestation. Me reviennent alors en mémoire des morceaux de phrases dites par mon père et ma mère pendant sa grossesse. Celle-ci semble répéter : « Cette grossesse ne tombe pas bien. » En effet, mannequin pour de grands couturiers, elle ne pourra pas honorer les défilés de la saison. En tant qu'embryon, je ressens une sorte d'indifférence totale, voire de désamour. Comme je m'attache déjà à la vie, j'ouvre les yeux pour tenter de capter les forces nécessaires à mon développement. Devenue fœtus, une nouvelle perception m'envahit : « Il ne faut pas que je prenne trop de place. » Je me colle ainsi au fond de la paroi droite de l'utérus de ma mère. Arrêt de la séance. J'en sors totalement dévastée, ahurie d'avoir fait jaillir toute cette mémoire utérine. Le docteur me confie des cassettes de visualisation positive. Elle me demande de pratiquer vingt à trente minutes chaque jour. « Vous devez vous relier à votre force intérieure, elle n'a pas disparu, il faut juste vous reconnecter. » Très bien docteur, je suis extrêmement motivée. Je déjeune avec mon père dans le but d'en savoir plus. J'apprends alors que ma mère, lors de sa grossesse, suivait un régime strict, et qu'elle a provoqué l'accouchement avant son terme afin de défiler aussitôt après. Je comprends maintenant pourquoi, à l'étonnement général des médecins et infirmières, je suis née les yeux grands ouverts. J'ai quelques fluctuations d'humeur durant la soirée avec une boule dans la gorge mais je refuse absolument et fermement de laisser ces symptômes m'envahir. Pourtant, l'oppression augmente jusqu'à devenir intolérable. Angoissée, je tourne dans tous les sens. Je subis ces états, impuissante. J'ai envie d'ouvrir mon cerveau pour qu'il respire enfin de l'air pur. J'ai envie de hurler. Je commence à trembler de tous mes membres. Je suffoque et pleure. Mon mari tente de me calmer. En vain. Je sors du lit, ouvre grand les fenêtres pour libérer ma rage. J'attrape alors un ange suspendu au mur. Je le fracasse violemment contre l'armoire, hurlant : « Je veux qu'on me laisse m'exprimer ! » Je redouble de sanglots. Plus tard, alors que je suis plus apaisée, mon mari me fait remarquer que l'ange cassé était un présent de mon père. Je sais maintenant que ce geste n'était pas le fait du hasard. Je commence à comprendre que dans le poids de cette dépression dont je rendais ma mère seule responsable, mon père a lui aussi sa part de responsabilité.

16 avril 1999

Morne réveil annonçant une morne journée. Que se passe-t-il là-haut, les connexions ne se font plus ? Il faudrait huiler les canaux ?! Je me pose de nouveau trois mille questions, toujours sans réponses. Je me noie et me morfonds dans ce lit que je maudis. Plus d'amis, plus de travail, plus de motivations, plus de désirs. C'est infernal. Deux ans que cela dure. Interminable. Pourquoi mon cerveau subit-il ces montagnes russes ? Je ne capte pas. Je capitule. J'ai beau me documenter à droite, à gauche, je ne trouve pas la solution. L'écriture de ce journal, du reste, devient très fastidieuse. Mes forces physiques et morales diminuent à vue d'œil. Je me sens anéantie et je me déteste. Je sais que je subis cet état mais il est impossible de ne pas culpabiliser. J'entrevois chaque heure comme un siècle. Bien que dormant la plupart du temps, je n'arrive ni à guérir ni à être soulagée. Je suis centrée sur mon nombril qui me fait mal. Je geins. J'ai peur.

17 avril 1999

L'angoisse totale. Je n'éprouve aucun plaisir, aucune émotion. Plus rien ne m'éveille. Je vis dans la pénombre et la nuit en permanence. Totalement légumisée. Je n'éprouve plus aucune sensation. Je suis anesthésiée. Deux jours que je ne quitte pas ma chambre. Pas le courage de me coiffer, de me lever, de faire quoi que ce soit. Je suis emmurée vivante. Il me faut des tonnes de courage. Je regarde ce ciel que je ne connais plus. Je suis encore plus loin. Dans un no man's land. J'appréhende la venue de mon mari. Qu'est-ce que je peux dire, aller dans une clinique une seconde fois ? Mon Dieu, entendez-moi.

18 avril 1999

Je dois sentir le bouc. Je ne peux pas envisager d'aller prendre une douche. Au-dessus de mes forces. C'est le grand déclin, le dernier soubresaut. Je flotte complètement. Je perds pied. Mon mari, paniqué, appelle le psychiatre. Il lui demande de monter encore la posologie. C'est le brouillard total dans ma tête. Je pense à m'effacer, à me rayer de la carte. C'est alors que je me souviens de moi enfant. J'avais une volonté à couper le souffle, une corsaire. Une battante. Je puise cette dernière vague d'énergie et reprend une once de courage. Je traverse la vie comme un minuscule bateau au détour du cap Horn. Mon mari me voit couchée à longueur de temps. Je craque pour lui. Il reste impassible et aimant. Je suis stressée à l'idée d'augmenter, mais je me laisse prendre en charge. De toute façon je n'ai pas le choix. Cette dépression est d'une violence ! Je ne sais plus combien de temps s'est écoulé depuis les jours heureux : ces jours où l'on est tout simplement content de respirer, plein de projets en tête. Mon Dieu, aidez-moi à sortir la tête de la fournaise. Je meurs à feu doux.

19 avril 1999

À cent vingt-cinq milligrammes, je dois dire que je suis au ras des pâquerettes, les jambes en coton. Une fragilité immense m'inonde et des doutes terribles m'assaillent : vais-je m'en sortir et quand ? Chaque jour compte double. Je sens bien que la dose supplémentaire ne fait que m'ensuquer. Elle ne me procure aucune appétence. Je me force néanmoins à me lever. J'y arrive mais tout me dégoûte, quant à sortir, c'est intolérable. Je n'en ai ni la force ni l'envie. À présent, j'ai la sensation que la molécule si fortement dosée modifie ma personnalité. Elle me rend moins intelligente, moins vive. Pénible à l'extrême. Une sorte de camisole chimique.

20 avril 1999

Le temps est grincheux comme un ami gênant. Le mot désir ne fait plus partie de mon vocabulaire. Mon corps me fait souffrir. De partout. Le parti pris de ne parler à personne de cette dépression laisse planer un immense mystère. Je ne réponds à aucune invitation, inventant mille et une excuses. Mon mari est dans le même bain. Le mensonge. La maladie et la honte. Trop pour un seul homme. Il souffre le martyre mais n'en dit rien. Quel exemple. Je ne sais pas qui de lui ou de moi est le plus téméraire. J'aimerais retrouver l'envie d'avoir envie. Un siècle que je n'ai pas eu envie de me faire une toile, d'aller dans un jardin public, d'organiser des dîners. Ma vie sociale est réduite à zéro. Complètement recroquevillée dans ma coquille d'œuf.

Un instinct de protection, une survie. Me mettre à l'écart. Un temps. Une pause. Le temps de réparer mon moral cassé.

21 avril 1999

Totalement dans les nuages. La montée à cent vingt-cinq milligrammes me chahute un peu. Question concentration, il y a comme une absence temporaire. Question mémoire, ce n'est pas le luxe. Il nous reste la vision qui a encore chuté. Bonne nouvelle, la sensation de bouche sèche et de langue qui colle au palais est passée. Côté ralentissement et asthénie, je me pose là. Heureusement que je n'arpente que mon appartement. J'ai les jambes flapies. Je suis comme sonnée par trois Bottin. Étrange secousse. Je me laisse vivre. Je verrai demain.

22 avril 1999

Rendez-vous avec mon psychiatre. Je patiente dans une salle d'attente confinée. Il arrive enfin avec une heure et demie de retard, accompagné d'une interne qui assiste à notre séance. Je n'apprécie pas ce viol de mon intimité. Je me vois dans l'obligation de reformuler tout mon historique. Assez peu psychologue de sa part. La prochaine séance, s'il me fait le même « cadeau », je saurai lui faire part de mon désaccord. J'ai vraiment l'impression d'être un mouton, avec tel numéro, de passer devant un conseil de classe. Eux derrière leurs petits bureaux, moi gentiment adossée à mon pupitre. Malgré mon état amorphe, il décide de ne rien modifier au traitement et de patienter. Ça tombe à pic, il part en vacances. Nous ferons le point plus tard. Il me parle d'un médicament appelé stabilisateur de l'humeur, à me donner si ma dépression chute plus sévèrement. Connaissant les « vertus » de ce nouveau médicament, je considère que ma dépression ne relève pas d'une symptomatologie maniaco-dépressive (oscillations entre euphorie et mélancolie). Je refuse net cette éventualité. Je ne suis pas un tube à essais. C'est bon, le gong a sonné. Je n'en peux plus, je ne veux plus de dragées. Je suis baptisée et vaccinée pour toujours.

23 avril 1999

Virage à trois cent soixante degrés. Le nirvana, presque. La sensation de prendre mon pied, mais intellectuellement. Je crois que je suis sur la bonne route. Est-ce enfin l'effet tant attendu du traitement ? Peut-être. Encore quelques carrefours à passer, j'entrevois la lumière, faible, mais présente. Je gagne trois minutes de bonheur en plus chaque jour. Si ça continue, je fêterai le 14 Juillet le 24 mai. Mon sang est plus vitaminé. C'est bien. Pas encore de points d'exclamation tout de même. Mais positif. Comme le dit ma grand-mère : « L'appétit vient en mangeant. » J'en déduis donc : « La vie vient en vivant. » Nouvelle résolution élémentaire. À présent, je sortirai prendre l'air chaque jour. Il faut s'activer à tout prix. Je m'applique à mettre en route cette méthode dès aujourd'hui. Pas franchement une réussite. Attablée à une terrasse de café, je suis mal à l'aise, un peu conne. Je me rends au jardin public, où le festival des mères bat son plein. Pas vraiment Cannes. La sensation d'être dans un dessin : « Cherchez l'intrus. » Vraiment à côté de la plaque. J'ose la lecture d'un bouquin, mais je dois surfer entre le ballon d'un très jeune footballeur et les fusils à eau d'autres cow-boys. Je ne reste pas plus d'une demi-heure. Pas terrible comme expérience. Pas question de renoncer, j'y retournerai demain. Ce sera plus cool, les enfants seront à l'école, avant quatre heures et leur « pain au chocolat je m'en mets partout » ! De plus, je ne sais plus du tout comment me vêtir. Comme si j'avais peur que l'on voit un Post-it sur mon front avec l'indication : « Attention personne en dépression, dégagez ! » Je n'ai pas envie d'attirer le regard, je ne peux le soutenir. À la porte de mon immeuble, je tombe une fois de plus nez à nez avec mon père. À croire qu'il connaît mon emploi du temps par cœur. Il me signifie une fois de plus que ma voiture est mal garée, que du courrier m'attend, et me demande de lui consacrer quelques minutes pour taper ses factures. Si j'osais, je lui annoncerais que ce n'est pas la peine, sa facture est faite, je suis en train de la payer. Je prends légèrement la fuite, répondant : « Je vais voir ! » Je prends alors conscience que tant que je serai sur son territoire, que nous n'aurons pas déménagé, je ne connaîtrai ni liberté, ni autonomie, ni arrêt de ma dépression. Cela fait partie du processus de guérison. Comment ne pas y avoir pensé plus tôt ?

24 avril 1999

Réveil enjoué et empreint de vitalité. L'esquisse de ma réussite et de ma guérison se dessine. Mes pas sont hésitants. Je suis quelquefois envahie d'une angoisse totale. J'inspire, j'expire, avale un Tranxène. Je laisse monter en moi une emprise de paix et d'amour. J'apprends à m'aimer totalement. Je me tiens par la main. Le chemin est encore ombragé mais je sais que je tiens le bon cap. Cap vers la stabilité de l'humeur, la positivité sur le monde et l'assurance que toutes les choses de la vie se mettent en place pour concourir au processus de guérison. Il faut être patient, tolérant. Ne pas se plaindre encore des quelques moments tendus qui doucement disparaissent. Je suis certaine de la puissance de l'esprit sur la matière, c'est-à-dire du cerveau-esprit sur le corps. Ce qui revient à dire que l'autosuggestion intervient comme un médicament placebo. La part de notre subconscient affirme notre pouvoir et notre force de guérison. Ce pouvoir de régénération et de survie est immense et encore incalculable. À force de passer ce disque à mon cerveau, je vais imprimer mon inconscient. Nouvelle tentative, nouvelle méthode. S'il faut parcourir le monde et les bibliothèques pour trouver le remède du cerveau en panne, je suis prête. Je pense que le corps sait ce qui est bon pour lui. J'accepte enfin ces deux ans de pause comme salvateurs. Ils me construisent avec une authenticité phénoménale. Ils m'invitent à revoir mes anciennes habitudes. Ils me font quitter mon passé, me séparent des personnes qui m'enlèvent l'énergie nécessaire, me recentrent. Je comprends mes errances, mon histoire. C'est astreignant. La soirée est délicieuse, enroulée d'amour, en compagnie d'amis. Nous bavardons de l'existence de Dieu, de nos repères. Questions métaphysiques qui donnent à chacun sa propre résonance et sa mission sur terre, si tant est qu'il y en ait une.

25 avril 1999

Convaincue de ma possibilité de guérir. J'ordonne gentiment à mon corps de m'aider à trouver toutes les ressources nécessaires à la guérison. S'il est tombé en dépression, il doit savoir utiliser le processus de restructuration des neurones défaillants. Il doit me redonner la joie de vivre. M'ouvrir de nouveau pleinement aux autres. Sans meurtrissures supplémentaires. Une envie subite de me présenter comme bénévole au Samu social me parcourt les veines. Pourquoi ? Être près des paumés, des exclus, comme moi. Dans la rue, je rencontre un SDF et lui fais part de mon souhait. Il ricane, sans dents. « As-tu fait des études ? » m'interroge-t-il. « Oui, pourquoi ? » Cet homme aux pieds nus, en plein froid, me fait la morale. Il prend son temps, réfléchit, pousse son Caddie sur le côté et me fixe. « Si tu veux vraiment faire quelque chose pour nous, monte sur la montagne pour te faire entendre, rencontre, parle, bouge, écris, transmets. » Je ne sais quoi répondre. Tout en parcourant le chemin du retour, je pense au livre que je vais entreprendre au-delà de ce journal. Ce que j'aurais souhaité lire pendant mon agonie. Un guide qui m'aurait évité toutes ces incertitudes, ces atermoiements, ces questions sans réponses. Je l'intitulerai : *VIVRE, Vaincre soi-même la dépression.*

26 avril 1999

Au secours ! Cette nuit, c'est de nouveau le grand plongeon. Pourquoi ? Comment ? Pour quelles raisons ? Une crise de larmes et des spasmes me secouent. Des hurlements de hyène malade. Mon mari ne sait pas comment arrêter ces cris. Je sens que je m'évanouis. Toujours le même processus. Je tombe doucement. J'ai le temps de le sentir parfaitement. Je suis horrifiée. Il faut que cela cesse. Il faut trouver la solution. Il faut me guérir. Je supplie les anges de veiller sur moi. Quand je pense à tout ce temps perdu, ces heures inertes, cette non-productivité sociale et professionnelle, je suis terrassée. Une impression de nullité renforce mon sentiment de culpabilité. Les montres et les calendriers nous rappellent toujours à l'ordre.

27 avril 1999

Je marche dans le désert. Ardu de décrire la solitude dans laquelle je me trouve. Mon traitement ne me convient pas. Il va falloir en changer. En aurais-je la possibilité ? J'ai déjà essayé une dizaine d'antidépresseurs. Nous appelons mon psychiatre. Il est à Chicago. Il sera de retour dans une semaine. De toute façon, je sais qu'ils ne savent rien. Ce ne sont que tâtonnements. Chaque malade réagit et métabolise à sa manière. Chacun sa petite recette. Nous sommes tous des cobayes. Je reste prostrée. Mes larmes sont les seules à me laisser croire que je suis vivante. Je suis presque résignée. Mes journées sont vides, absolument vides. Plus de motivations, pas de projets. Rien ne me rattache au monde dans lequel je vis. Je suis incapable de voir à plus d'un mètre. La grêle tombe en pluie sur mon cervelet. Prendre une douche est une souffrance. Même plus envie de pleurer sur mon sort. Je suis dans un état d'acceptation. Comme une pièce de marbre. Je ne peux même plus prier. J'attends une délivrance. Le sculpteur qui me redonnera vie.

28 avril 1999

Réfugiée dans le sommeil, j'ai au moins l'impression de vivre à travers mes rêves. Dans ces « envolées », je ne suis pas en dépression. Sur vingt-quatre heures, seize heures sont vouées à cette vie onirique. Il est malaisé de faire la part des choses. Ma réalité est si pénible. Ma souffrance devient muette. Pas un humain aux alentours, je veux vivre ce cauchemar seule. Les autres ne sont pas ma poubelle. Dans le miroir, je ne vois qu'un immense chagrin. Une jeune femme, sans âge, pétrie de larmes, angoissée à en crever. Mes pas sont lourds. Je ne sors la tête du lit qu'à la nuit tombée. Le jour me fait peur. Trop violent, trop de vie. Manger n'est même plus un besoin. Je pourrais me laisser mourir. Doucement. Je n'ai pas le courage de passer de l'autre côté ou pas le droit. Pour mon amour qui hurle qu'il m'aime. Je n'arrive pas à me sentir reliée. Je suis seule dans l'océan. J'ai juste une petite bouée de survie. Je suis frigorifiée.

29 avril 1999

C'est la fin du monde. Le trente-sixième dessous. Clap de fin. Je n'ai plus de ressources pour me battre. Je baisse les bras. C'est fini. Je me laisse dériver dans la tempête. Je ne sais plus quoi faire. Inerte, je pense à tous ceux qui souffrent plus que moi et je m'accroche. Pour mon ami tétraplégique, j'ai des jambes, je dois m'en servir. Pour les aveugles, je dois ouvrir mes yeux. Pour les sourds, je dois écouter l'autre. Pour tous ceux qui luttent. Il faut que je tienne. Il faut témoigner de cette horrible maladie. J'ai beau avoir une volonté farouche, je suis anéantie. Mon psychiatre est toujours absent. Nous sommes paumés.

30 avril 1999

Même processus. La souffrance augmente. J'ai parfois peur de perdre la raison. J'ai peur de me laisser engloutir. Peur d'une hospitalisation. Peur de tout. J'ai tout de même entrepris de consulter des associations de thérapeutes comportementalistes. J'ai l'impression pourtant d'avoir dénoué la plupart de mes conflits. Je prends le problème dans tous les sens. Mon mari me force à partir de Paris pour le week-end. Son amour ne désemplit pas. Dans la voiture, les sanglots éclatent. Je ne me suis jamais sentie aussi désemparée. Je crie « Au secours ! » et personne ne m'entend. Comment peut-on expliquer cette souffrance ? Les mots nous font défaut, notre connaissance est dérisoire. Il faudrait des cours particuliers d'école de la vie. Des leçons de vie, deux heures par semaine. Pour profiter de l'expérience de l'autre, comprendre certains choix de vie, décortiquer les faits, résoudre les conflits. Le vieillard sait mais il va mourir. L'adulte croit savoir, et il va peut-être mourir avant la sagesse, l'adolescent est certain de tout connaître, c'est lui qui inventera de nouveaux codes. C'est sûr, nous n'avons rien compris. L'enfant ne sait pas, il va vivre, il est heureux.

1er mai 1999

Arrivée à la campagne. La nuit est toujours bercée de cauchemars. Je me réveille en sursautant, la tête explosée, les yeux transis de peur. Je passe néanmoins une journée moins véhémente. Je m'étends sur l'herbe. Mon regard rejoint le ciel bleu azur. Je suis persuadée qu'il existe une solution. Je décide de ne plus ressasser, de ne plus ruminer.

Pas pour longtemps, hélas ! Le téléphone sonne. C'est mon père. Il appelle juste comme ça, pour dire bonjour, prendre des nouvelles. Il ne peut cependant raccrocher sans ajouter : « Vous avez de la chance d'être à la campagne, tous les deux ! » Il me ramène ainsi à sa solitude. J'en arrive à penser que par mon mariage je l'ai abandonné, et que je goûte un bonheur dont lui ne connaît plus la saveur. S'il savait combien ce genre de phrases comme des couteaux acérés s'enfonce dans ma chair. Je ne lui en veux pas. Une fois de plus, je préfère me sacrifier, me faire mal, plutôt que de le blesser en répondant : « Toi au même âge, qu'en avais-tu réellement à foutre de tes parents ? Ne jouissais-tu pas pleinement de la vie sans te soucier de la leur ? Pourquoi devrais-je porter ton fardeau d'homme aujourd'hui seul, qui n'a pas résolu ses problèmes affectifs ? Je donnerais tout l'or du monde pour te voir main dans la main avec une compagne qui t'aime vraiment. Elle prendrait enfin ma place, celle que je n'ai pas à tenir. »

2 mai 1999

Cette journée me réconforte. Assise au pied des arbres, j'y puise une certaine force. Nous tuteurons les rosiers pour qu'ils poussent correctement. C'est ce qu'il faudrait faire avec moi. Trouver la bonne molécule chimique, celle qui me remettra sur la route de la vie. J'ai rendez-vous après-demain, pour faire le point sur ce traitement, apparemment inefficace.

3 mai 1999

Fermant les stores de la maison, nous apercevons deux sublimes arcs-en-ciel. Vraiment grandiose. Les nuages gris se dissipent très lentement. Le soleil plonge à l'intérieur de cette masse opaque. Est-ce un signe ? Je le prends comme tel. Après la pluie, le beau temps. Pendant le voyage de retour, mon mari m'avoue une conversation téléphonique qu'il a eue la veille au soir avec ma mère alors que je dormais. Après des semaines de silence, elle est revenue à la charge. Il m'informe qu'en fait de conversation, il s'est plutôt agi d'un monologue. Dans sa logorrhée verbale, ma mère a lâché qu'effectivement, le jour de notre mariage fut pour elle un jour de deuil. Elle perdait sa fille pour toujours. Bien sûr, elle prétendait aussitôt l'avoir digéré depuis. Mais le seul fait d'en parler deux ans et demi plus tard soulignait clairement qu'elle n'acceptait toujours pas cette réalité. Décidément, mes parents ne sont pas prêts à me désenchaîner, à me déculpabiliser de faire ma vie. Avec l'appui de mon mari, je comprends qu'il me faudra imposer mon territoire et ma réalité de femme adulte. J'ai accompli une partie du chemin. Ces révélations et ces ingérences me blessant encore, je suis obligée d'admettre que le plus dur reste à faire : couper définitivement le cordon, même si ça fait mal. À eux deux, comme à moi-même.

4 mai 1999

La terre ressemble à un purgatoire. J'ai soif de vivre. Je suis assoiffée. Personne ne me donne à boire. Dans la voiture qui nous mène chez le médecin, j'ai l'impression d'être une sorte de ver de terre. Je n'en peux plus. Le psychiatre décide de modifier complètement mon traitement. J'ai un marteau qui tape sur ma tête. Je vais devoir affronter un nouveau médicament, puisque celui-ci n'a pas fonctionné. Un de plus. Je n'aime pas la façon qu'il a de ne pas me considérer. Il coupe chacune de mes phrases. Il est cerclé de certitudes, refusant d'entendre mes angoisses. Mon mari et moi lui présentons les résultats des analyses des neurotransmetteurs. Il refuse d'un geste méprisant de les examiner. Sa réaction nous choque. Comme la plupart de ses confrères spécialistes, il n'accepte pas d'élargir son regard, de prendre en compte d'autres paramètres. Pour lui et ses pairs, un patient est constitué de «pièces détachées» : à chacun la sienne. La globalité d'un terrain leur est étrangère. Je sors, désespérée et furieuse. Comment accepter une nouvelle molécule prescrite avec si peu d'égards et d'implication ? Je cogite.

5 mai 1999

Je suis mon instinct. Je ne prends pas ce nouvel antidépresseur. Je décide de baisser les doses de celui qui ne m'a jamais convenu. Je téléphone à mon précédent psychanalyste. Je prends rendez-vous pour le lendemain matin à neuf heures. Je suis au bord d'un précipice. C'est étrange. Une envie irritante me suggère de prendre un petit porto. Je percute à la seconde que si je tombe dans ce verre, je tombe dans un puits sans fond, à jamais assez rempli. Les femmes boivent seules, c'est bien connu. Je suis déjà dépendante de comprimés, je ne m'autorise pas l'alcoolisme. Je ne bois pas une goutte de vin, ni d'alcool. Jamais. Je hurle de sanglots dans l'appartement vide, demandant de l'aide à toutes les forces invisibles, les défunts, les anges, les saints, Dieu et son fils. Je suis au bout du rouleau. Deux ans et demi de lassitude. Putain, qu'est-ce que c'est monstrueux ! J'avale sept Tranxène 10 en une gorgée rapide plus un somnifère. Ne plus penser. Ne plus souffrir. Je suis à un centimètre de replonger. « Aller en face !... » À ce point de souffrance, c'est peut-être une délivrance ?

6 mai 1999

Un cauchemar monstrueux submerge ma nuit. Mon mari m'étreint. Je suffoque. Il est un souffle, un havre de paix. Dans ses bras, bercée comme une enfant, je me rendors. Le matin même, nous nous rendons chez le psychanalyste. Ne m'ayant pas vue depuis plusieurs mois sans que je donne aucune raison à ce silence, il semble en colère. Je lui avoue la vérité. Je souhaitais un autre avis que le sien, celui d'un psychiatre. « Vous, vous êtes psychanalyste et non psychiatre. Si vous aviez besoin d'un second diagnostic pour une maladie sérieuse, vous auriez sans doute consulté un second médecin, n'est-ce pas ? » Ses lèvres s'entrouvrent frêlement : « Tu aurais pu m'en parler. » Je l'ai convaincu. Il m'écoute, entend mon désarroi et répond par l'ordonnance d'un nouveau traitement. Je sais que j'ai perdu un peu de son amour, mais comme dans un couple, les conflits existent. Je sais qu'il me comprend. Cette infidélité ne remet pas en cause ses compétences. Je l'embrasse en partant. Il me sourit. J'apprécie. Il nous regarde descendre l'escalier comme il le fait toujours. Je ne tourne pas la tête mais je sens son regard. C'est un homme brillant, sensible, intelligent, prudent, qui connaît mon histoire. Me voici repartie pour un tour de manège. Un nouveau traitement. Je l'avale immédiatement. Il ne m'endort pas. J'emmène ma chatte se faire opérer d'une excroissance de chair apparue sur son cou. Je suis vidée, fatiguée, un peu droguée. Je suis pétrifiée de laisser mon animal sur cette table de bloc opératoire. Elle miauline : « Ne me laisse pas, je t'en supplie ! » Je lui parle, comme je me parlerais, ou comme je parlerais à mon enfant : « Ne t'inquiète pas mon amour, mon petit chat, mon petit ange câlin, on va guérir, toutes les deux, c'est bientôt la fin de nos souffrances. » Je la laisse, tremblante. Je sors de chez le vétérinaire. Il fait beau. Je dois remettre mes lunettes de soleil pour cacher la pluie de mes yeux.

7 mai 1999

Deuxième comprimé de ce nouveau traitement. Je baisse doucement les doses de l'ancien. J'ai un peu peur de naviguer avec mes neurones. Je me suis procuré une cassette vidéo concernant le cerveau en trois dimensions. Plus que réaliste. Ce qui se passe là-haut est hors de notre portée. C'est le seul endroit qui n'ait pas été totalement exploré. Le mécanisme de nos émotions, la mémoire, l'intelligence, sont-ils dus à une concentration de neurones à tel ou tel endroit ? Les chercheurs n'en sont qu'aux balbutiements. Nos petits-enfants connaîtront les grandes expériences. Pour nous, patience. Ces milliers de neurotransmetteurs qui se bousculent et s'envoient des messages via les synapses me transfigurent. Comment guérir ? Comment trouver la bonne molécule chimique, ou une combinaison de deux sortes ? Cela revient à chercher une aiguille dans une botte de foin.

8 mai 1999

Courage, ma fille, j'espère que le mélange des deux molécules antidépressives va fonctionner. Je croise les doigts et tout ce que je peux. Mon moral oscille très légèrement. Je tiens bon. Troisième comprimé. Je suis maintenant à 50 mg de l'ancien antidépresseur, c'est-à-dire que je suis passée en moins de dix jours de 125 mg à 50 mg. Mon nouveau traitement est dosé à 25 mg. Donc, si je calcule bien, 50 + 25 = je suis à 75 mg. Je m'asperge de force positive. Ma journée connaît des variations. Je m'accroche. Je refuse de m'interroger. Je me persuade que tout est fini. Les épreuves sont retournées dans le néant. Je m'applique à positiver coûte que coûte. Comme le lierre grimpant, je m'agrippe au bonheur.

9 mai 1999

Mouvement. Je commence à maigrir. Je sens mon corps changer à toute allure. Mon cœur bat plus vite. Mes pas sont un peu chancelants mais un certain allant ose revenir. J'ai une baisse de moral sensible en fin d'après-midi. J'avale un Aspégic 1000. Selon l'ouvrage du docteur Cahané, de petites doses d'aspirine font remonter la sérotonine (la fameuse hormone détente). Ça fonctionne. Je surfe entre les vagues. Pas d'éclaboussures. Pas de soucis. Pas de panique surtout. Une totale confiance me serre dans ses bras. J'ai encore peur qu'elle m'abandonne.

10 mai 1999

Fantastique, je me réveille en souriant. Je suis la Belle au bois dormant. J'ai l'impression de sortir du vide astral. Enivrant. La journée démarre bien. Je suis passée à 25 mg de l'ancien antidépresseur. Encore 25 mg de gagné ! J'ai quelques « gorgées » d'angoisses diffuses, normal lorsque l'on baisse ce genre de médicament, mais le Tranxène fait son devoir de tranquillisant. Je n'en abuse pas.

11 mai 1999

La journée est éclairée dès le réveil, pourtant le ciel est plombé comme jamais. Rien ne me freine. C'est complètement nouveau. Je vis. Je « réveille » presque tout mon agenda. Je reprends les ponts qui me font passer du côté de la vie. Je vois tout en rose. J'évite d'ailleurs de m'appesantir sur le gris. Les amis que j'appelle sont gentiment éloignés lorsqu'ils commencent à me prendre pour leur psy, leur conseillère conjugale ou leur assistante sociale. Chacun son paquet. Toutes les leçons de la vie doivent être apprises seul. Nous ne pouvons faire le chemin des autres à leur place. Je reste égoïste parce que prudente. Je ne me surestime pas. Mon mari y veille. Et je ne sous-estime pas l'influence négative ou positive des autres. Je suis centrée. J'organise mes journées tel un futur ministre. Je m'efforce de gérer mon programme d'alimentation comme une sportive de haut niveau. Je veux caresser mon cerveau. Lui qui a tant souffert. Je comprends les carences, les douleurs. Mon corps et ma tête ne sont plus dissociés.

12 mai 1999

Hamac, soleil, détente, farniente sont les mots d'ordre de cette journée paradisiaque. Même les cerises sont à pleurer de joie, tellement elles sont savoureuses. Nous jouissons, mon mari et moi, de ces moments bénis. Du coup, je reste à me balancer sur ce hamac jusqu'à vingt heures ! Nous dînons sur l'herbe. Merveille. Le soleil se couche à nos pieds. Nous sommes heureux. Avec rien.

13 mai 1999

Moral au beau fixe. La nature m'apaise, me réharmonise. Mon masque de fragilité ne s'écaille pas. J'éprouve l'envie de nourrir la terre, de planter, de semer. Un arbre ou une fleur ? Le choix se pose sur un rosier blanc. Signe de pureté et de douceur virginale. Je le prénomme Clémence. La jubilation lors de l'implantation est immense. Les fleurs naissantes sont mes enfants.

14 mai 1999

Week-end en compagnie de ma belle-famille. Le monde permet de m'abrutir un peu. Les bavardages incessants me reposent quelque temps. Je ris, prépare les chambres. Je considère les hommes, les femmes, leurs vies, leurs sentiments. L'extrasensibilité qui m'habite me permet une vision juste et raffinée. Ils n'interviennent pas dans mon intimité. Moi non plus. Nous respectons nos silences. Moments de trêves. Mon mari et moi pensons que nous avons atteint le but. Encore 10 mg de X. Je compte lâcher ces dix derniers milligrammes dans deux ou trois jours. Je m'en réjouis à l'avance.

15 mai 1999

Se réveiller de très bonne humeur est un luxe. Ce matin, c'est ma fête, j'y ai droit. Quel cadeau. Merci. J'ai même l'audace de vouloir jouer au foot sous la pluie. Les chaussures ne sont pas adaptées, j'ai de la terre plein les jambes. Mon seul centre d'intérêt : jouer, tout bêtement, comme une enfant. Retrouver la couleur de l'instant et le partage. Le jeu me distrait, me divertit et me délasse.

16 mai 1999

Descente vertigineuse. Que se passe-t-il ? Est-ce le fait d'être passée de 125 mg à 10 mg en trois semaines qui fait que je suis de nouveau en bas ? Je refuse catégoriquement de me laisser influencer. Je baisserai comme prévu et prendrai le relais avec l'autre antidépresseur dosé à 25 mg. Je suis certaine d'être sortie de l'impasse.

17 mai 1999

Revenue à la vie quotidienne, mon humeur est vacillante. Je m'expose à l'agressivité des automobilistes et supporte peu cette ville parfois alarmante. Je pense à partir. C'est une fixation. À part mon mari, rien ne m'attache à la vie.

18 mai 1999

Retour au rez-de-chaussée : la dépression sévère. En quelques jours, virage dangereux. Je comprends que je ne comprends plus rien. Éreintée, en colère, je me laisse abattre toute la journée. Le temps de me refaire.

9 mai 1999

Ça y est, petit à petit, chaque geste devient pénible, éprouvant. Le réveil est déjà nauséeux. Signal d'un chagrin annoncé. Je refuse de m'attarder et vaque à mes occupations. Je reste persuadée d'être plus forte que cette dépression.

20 mai 1999

Espace froid et vide. Mon mari est à l'étranger pour plusieurs semaines. Désormais seule, je me sens glisser. Franchement, je n'ai plus la force de combattre. Je réalise maintenant pourquoi les cancéreux, à un moment donné, lâchent prise. Je suis dans le même état. Je me laisse porter par les événements. Je n'ai plus l'envie de tout contrôler ni de tout analyser. Je prie encore un peu. Très peu. Rien ne me procure l'apaisement, sauf lorsque la nuit enveloppe la chambre. Je me sens raccord. La lumière et la chaleur me gênent. Je porte sur moi un masque opaque.

21 mai 1999

Je ne suis tout simplement pas là. La vie a quitté mon corps. L'intérêt a fui mon âme et je suis engloutie. Mes repères se disloquent. Je dors, toujours et encore pour oublier mon mal de vivre.

22 mai 1999

Le même programme de plongée de tristesse orne ma journée. Je ne rêve même plus. Je voudrais me laisser partir doucement. Je sais ne pas avoir le droit de m'ôter la vie, mais je peux lui faciliter les choses. C'est ce que je fais, naturellement. Mon mari me sent partir sur l'autre quai. Il tente désespérément de me retenir. Il appelle notre psychanalyste.

23 mai 1999

Descente rapide. Je maigris à vue d'œil. Je commence à me sentir flotter dans mes vêtements. C'est bon. Je me sens dépérir. Finalement, c'est jouissif d'avoir ce seul contrôle dans ma vie. Je sens bien que le mécanisme de l'anorexie mentale ressemble à celui-ci.

24 mai 1999

Toujours seule, j'accepte mon sort. Mon karma comme diraient certains. Je pense à toutes les choses à découvrir. La vie est courte et non sans danger. Naviguer entre les piranhas est un art. Est-ce inné ou apprend-on ? Je ne sais pas. Ma seule philosophie de vie aujourd'hui : tu arrives nu, tu repars nu. Sans même avoir compris l'intérêt d'une existence. Si les peuples se posaient la question, le monde deviendrait fou. Heureusement, les religions canalisent la deuxième vie, celle d'après, la seconde chance. Dans ces conditions, on accepte facilement les épreuves de la première. Sans broncher, ou à peine.

25 mai 1999

Telle une plante verte inanimée, sèche et rugueuse, je stagne sans bouger. Mes forces me quittent. Je ne m'alimente plus, pour quoi faire ? Être remplie me servirait à quoi ? Il me semblait que l'homme pouvait s'adapter à toutes sortes de situations, de traumatismes. Je me suis trompée. Il a ses limites. La torture est la plus significative. Un temps d'arrêt, et on appréhende le prochain coup. L'enfer.

26 mai 1999

Sans répit depuis une semaine. Mes songes sont le Vietnam. Ma réalité : la guerre de 1914. Plus d'échappatoires. Les calmants, sans effet. J'échafaude ma sortie. Par l'issue de secours. Pas la grande porte. Laisserais-je un mot ? À quoi bon. Donner des remords n'est pas de mon ressort. Je préfère le silence. Il permet toutes les interprétations.

27 mai 1999

Clouée au lit, mortifiée, impossible d'écrire trois mots. Je suis au bout, à bout. Plus de ressources. Je me laisse aller, sans aucune résistance. La sonnerie du téléphone retentit. Le répondeur filtre l'appel. C'est ma mère. Je décroche. Pourquoi ? Ai-je encore la faiblesse et l'illusion de croire qu'elle peut vraiment changer ? Cataclysme ! Ma mère, férue d'ésotérisme, m'annonce une terrible nouvelle. Prédiction qui lui aurait été faite par un médium brillant dont je connais le réel pouvoir de divination. Cette annonce concerne un être cher, et même s'il ne s'agit que d'une supposition, l'envisager est un cauchemar.

Connaissant ma sensibilité, elle a encore frappé. Elle ne s'arrête pas là. Armée d'une perfidie sans faille, elle oriente doucement la conversation vers mes comportements d'enfant. Le fait que, petite fille, j'attirais malgré moi l'intérêt des autres, faisant de l'ombre à mes proches. Autrement dit, une fois de plus, je serais responsable et coupable de tout. Pas seulement pour le passé, mais pour le présent et maintenant l'avenir. Elle raccroche me laissant exsangue. En larmes, je téléphone à mon mari. À bout de souffle, je pense réellement à mourir. J'ouvre la fenêtre de mon appartement. Envie de sauter dans le vide pour voler, me libérer. Le réflexe de survie est plus fort que moi. J'appelle mon père, déjà alerté par mon époux. Il est le seul qu'il pouvait prévenir, puisqu'il habite l'immeuble. Je descends dans son appartement. À peine le seuil franchi, je subis une terrible crise d'angoisse. Mes membres inférieurs se mettent à bouger hors de mon contrôle. Je ne peux m'empêcher de marcher, marcher, marcher. Mon père m'ordonne de m'arrêter et de me calmer. Je me rends compte qu'il n'a jamais vécu de « panique-attaque ». Il continue son discours raisonnable. J'avale trois Valium. Ceux-ci restent sans effet. Désespérée, je supplie mon père d'appeler un médecin. Il ne veut pas s'y résoudre. Je dois le faire moi-même. Le médecin m'injecte un calmant de cheval. Je m'accroche à un rayon de lumière. Ce rayon de foi, celui de Dieu, qui n'a pas voulu de moi. Pas ce soir. La ponctuation de cette dernière étape tombe comme une guillotine. Je dois me faire réhospitaliser.

28 mai 1999

Un grand silence parfume d'une odeur dérangeante les pièces de l'appartement. Mon mari, tel un coach avisé, m'évite tout apitoiement. Il connaît mon aptitude à lutter, il sait ma volonté d'en sortir, il me soulève par ses certitudes. Je pensais que la guerre était finie, que ma dernière bataille avait anéanti l'ennemie, la dépression. Transie dans mon salon, je m'aperçois qu'il me faut de nouveau porter mon armure de courage, mon bouclier de défense et mon épée de futur vainqueur. Je m'encourage comme le fait tout guerrier, même s'il sait que son destin ne lui appartient pas complètement.

29 mai 1999

Rendez-vous chez mon psychanalyste pour organiser cette seconde hospitalisation. J'invoque le drame de cette rechute : revenir à la case départ six mois après ! Il récuse mes propos, me laissant entendre qu'il s'agit là d'une période nécessaire à la mise en place d'un traitement pointu et personnalisé qui ne peut être réalisé aujourd'hui en ambulatoire du fait de mes nombreux changements de molécules. Dans un second temps, il affirme que cette réhospitalisation doit faire l'objet d'un travail supplémentaire du point de vue psychique, et qu'il serait impossible de l'envisager à mon domicile. Pour lui, «je ne peux plus rétrécir davantage ». C'est pour lui une sorte de retraite, de prise de recul, de repos et de désenchaînement. La finalité étant la rupture avec mon environnement familial. J'entends ce discours. J'ai confiance en lui. La peur est pesante. Je la chasse.

30 mai-28 juin 1999

Comme un cheval obéissant, ma voiture reconnaît le chemin. Elle me dépose à l'endroit précis : la clinique X. Seule, les valises sur l'épaule, je franchis les portes vitrées. Choc, les visages rencontrés sont ceux d'il y a quelques mois. Horreur. Affronter leurs regards est impossible. Je ne me présente pas. Ce serait avouer ma rechute et ma non-guérison. Ma coupe de cheveux a changé, je suis donc différente. La mauvaise foi me sauve des questions indiscrètes. Mon retour au point zéro ne sera connu de personne. Ils détournent enfin le visage. Je patiente, trois heures. Ce hall étroit contient la tristesse d'une terre ravagée après la tempête. Ici, on recolle les morceaux. Je soupire. Je repasse par le trou minuscule de la serrure. Les perfusions chaque jour. Quinze en tout. Les plateaux dans la chambre. Les couloirs désespérants de solitude. Le ton puéril, voire débile, des infirmières. Normal, nous sommes des sous-hommes. Le mélange des genres. Pas d'inquiétude. Je suis prête à tout pour guérir. Je range ma peur aux rayons des souvenirs. On m'accompagne à ma demeure. Il faut l'habiter trois ou quatre semaines. Pas de tergiversation. Je dois aimer cette pièce. J'ai apporté toute une décoration. Je m'y attelle. Photos, radios, statues, musiques, plantes, encens. Ouf, elle ressemble à autre chose. Une chambre de curiste. Pour mon entourage, je suis en vacances. Je ne reçois donc aucun appel. Parfait. J'en suis venue à me convaincre qu'en effet je suis ici pour une cure de remise en forme. Plus facile à digérer. La première semaine ressemble à toutes les premières semaines dans ce type d'établissement. Explosée par les médicaments, les veines remplies de liquides anesthésiants, antidépresseurs et anxiolytiques, je ne mets pas la tête hors du lit. La deuxième semaine, les perturbations s'amenuisent. Timidement, je m'habille et tente une petite marche. Le traitement me convient. Je le sais. Je l'accepte complètement. Mon cerveau est programmé pour guérir. Se laisser faire est primordial. Je le sais et m'exécute. Même si le ton agressif de certaines infirmières est une humiliation : « Madame Fontaine, la pesée. » Il y a longtemps qu'elles ne prennent plus le temps de faire des phrases. À quoi bon ? Puisque notre cerveau est fatigué... La troisième semaine laisse filtrer quelques rayons de soleil. Je suis sur la bonne route. Le quotidien ne me pèse pas. Au contraire, je prends le temps de me poser les bonnes questions. J'établis plusieurs questionnaires. Quelle est l'image de ma mère aujourd'hui, quelle est l'image de mon père ? J'y dépose leurs qualités et défauts, manières de voir la vie, formes d'éducation. Le principe de cette autoanalyse : « sortir de la poupée russe ». Cela pour en arriver à la liste principale : qu'ai-je récupéré ? Je pioche ainsi scrupuleusement dans la liste du père et de la mère. Je suis étonnée du résultat. J'établis alors une dernière liste. Qu'ai-je construit moi, moi seule, personnalité à part entière, et quels sont les schémas de vie qui ne m'appartiennent pas ? Je trouve la solution à mes questions existentielles. Tant d'années passées sans me poser les bonnes questions. Incroyable. Mon sommeil devient alors doux et récupérateur. Mes journées reprennent leurs rythmes. Les antidépresseurs, comme de bons ouvriers, font leur travail. Bientôt l'heure de la sortie. Je quitte ce lieu sans aucun sentiment. Une neutralité totale.

29 juin 1999

Sortie de clinique. Les au revoir sont des adieux. La sortie vitale. Les patients me saluent d'un sourire empreint de promesses. Il n'est pas nécessaire de parler, un battement de cils suffit : « Bonne route mes amis. » La voiture file droit au-devant d'une fastueuse récompense. Délicatesse de la vie et surprise de taille : mon mari a trouvé notre repère de vie. Nous visitons et signons ce jour. Je reste abasourdie. Je ne réalise pas tout à fait. Le choc est brutal. Je me laisse soulever.

30 juin 1999

Mes veines acceptent parfaitement mon traitement. Je le sens. Je ne subis aucun effet secondaire. J'ai retrouvé une meilleure vue. Je suis confiante. Mon corps se régule à son nouveau rythme. Je refuse toute oisiveté. La peur n'est pas entièrement dissipée. Je vise loin devant. J'apprends à respecter mes horloges biologiques. Les pilules doivent être prises à jeun le matin, pour un effet maximal, et trois heures au minimum après le repas du soir. Le but : éviter l'interaction avec une potentielle digestion.

1er juillet 1999

Le lit de verdure de la campagne est accueillant. Je m'y allonge. C'est un enchantement. Le silence se mangerait presque. L'air apporte l'odeur irrésistible de l'herbe coupée. Un calme absolu, une maison en plein champ. Nous y resterons le temps de ma guérison complète. Sans un mot prononcé, mon homme connaît les remèdes. Repos, balades à vélo, musicothérapie, hamac, amour. Encore assez droguée, je jouis de la vie à cinquante pour cent. Sur l'échelle du bonheur, je suis montée à 5. Mon visage ne porte plus les stigmates de la dépression. Mon regard porte quelques étoiles de lumière. Les mouvements oculaires se font rapides et curieux. Les cernes qui les entouraient se sont évanouis dans la vallée des larmes. Cette vallée s'éloigne discrètement. Ce n'est plus qu'une ombre. Surtout ne pas regarder derrière soi. Ne pas avoir le vertige. Sinon, la panique et l'immobilité se jetteraient sur moi comme de vilains voraces. J'escalade le mur de la vie. Le sommet est visible.

2 juillet 1999

Je pense à ces fous, ces névrosés, ces « pas bien dans leur peau », laissés au bord de la route. « Chacun sa merde », comme dirait l'un des leurs. « Chacun sa route, chacun sa déroute », comme dirait l'autre. Moi, je dirais : « Chacun son paquet, avec son petit cadeau à l'intérieur. Jamais le même. Il y en aura pour tout le monde. Ne vous affolez pas. Y aura même du rab pour ceux qui en redemandent. » À vélo sur les petites routes sinueuses du Perche, je sue bec et ongles. J'admire le paysage, les maisons. Je sens mon corps vibrer. Pour un peu je me prendrais pour un vrai coureur. Avec sponsor évidemment. « Dommage Éliane », un de mes pneus crève. Pas de problème, nous finirons à pied. Et dans la bonne humeur en plus. Je laisse mon esprit vagabonder à travers les haies, les champs, les fils électriques. Il se gorge d'énergie comme le papillon se gorge de lavande. Je goûte un peu la vie. Quel plaisir ! Je soupire un grand coup et compte les jours qui me séparent du début de ce traitement, presque un mois. J'ai passé le cap Horn, je suis maintenant en route vers le cap de Bonne-Espérance.

3 juillet 1999

Mes pensées deviennent limpides. Encore un peu peur du passé. Vivre l'instant. Deux phénomènes qu'il me faut apprivoiser. On s'habitue vite au malheur. Quelle facilité. Imaginer le pis est rassurant. Oublier les souffrances et la mort demande bien plus de raffinement. Une coccinelle s'est posée sur mon épaule d'un vol charmant. J'en rêvais depuis sept ans. Un cycle. Dans son envol, j'ai réalisé mon vœu. Ce que j'affirme aujourd'hui : on ne naît pas dépressif, on le devient. Une éducation fondée sur de mauvais principes ruine parfois une vie. Dire à un enfant : « Tu sais, la vie c'est une tartine de merde », ou, comme le personnage qu'interprète Jacques Brel dans l'un de ses films : « Le bonheur, c'est quand les emmerdes s'arrêtent », est un crime pour celui qui n'a pas encore fait ses dents. Nous sommes des exemples. La dépression est le seul moyen de renaître à soi-même, de construire ses propres valeurs, sa propre devise. Tiens, quelle serait la mienne : « Ne réfléchis pas trop, vis, jouis, profite, ris. » Les quatre saisons de la vie sont vite enterrées. Je suis à l'été de la mienne : trente-quatre ans. Je compte bien savourer. Merci de ces constats. Pourquoi l'homme ne peut-il évoluer qu'à travers les épreuves ? La spiritualité est-elle si chère ?

4 juillet 1999

Les deux antidépresseurs conjugués filent un parfait ménage. Une dose le matin de « Chouette, la vie » et une dose de « Nuit de rêve, nuit de trêve » le soir. Le tout agrémenté d'une hygiène de vie exemplaire, menée de main de maître par mon époux, surveillant général de mon bien-être. Chaque menu est composé d'une protéine, de glucides, zéro lipide. Il surveille mes taux de calcium, magnésium, phosphore, fer, et me pique les fesses à la vitamine B12. Pas franchement agréable, mais efficace. C'est un vrai « docteur Bébé ». Avec le nombre de médicaments au kilomètre carré que j'ai gobés, il peut créer le Trivial Pursuit du malade bien assuré. Ah, au fait, mauvaise surprise. Bombe. Notre mutuelle nous a largués. Oui, avant deux ans, si vous souffrez trop, on résilie votre contrat. Normal, rentabilité oblige. À savoir absolument : tombez malade, mais alors très gravement, après votre deuxième anniversaire de cotisation ! Là, vous les faites débourser allègrement, limite faillite. Ils sont obligés, je dis bien obligés de payer. Je n'ai donc pas eu ce « plaisir ». Ma nouvelle mutuelle fut imposée par un assureur. C'est un peu comme les bagnoles, plus vous êtes souffrant, plus le montant de votre malus augmente. Vous payez le maximum. J'en suis presque à mille francs par mois.

Anecdote, cette nouvelle mutuelle n'a pas pris en charge l'hospitalisation de ma dépression. Nous avons dû payer la modeste somme de seize mille francs. Pour ceux qui ne le sauraient pas, lisez bien entre les lignes : tout ce qui concerne l'alcoolisme, la dépression, la folie, les sports de vitesse, bref, tout ce qui n'est pas viral, peut faire l'objet d'un refus de remboursement de votre gentille « mu-mu » pendant les deux premières années. Les salauds. Ils s'en mettent plein les fouilles. Leur tactique, prouver que vous souffriez de dépression avant votre adhésion. Pour cela, ils vous invitent à passer devant des experts psychiatres qui vous fusillent de questions pièges. Genre le Code de la route. Là, c'est le Code conduite. Des pompes à fric en somme.

5 juillet 1999

Trois ans que je vis centrée sur ma petite tête. J'apprends maintenant à ressentir mon corps. Une cassette de yoga m'initie à la prise de contact. Surprenant. Par la respiration, je pratique les différents exercices. Des poses incroyables. Je sens mon intestin courir sous mes doigts. Ma colonne vertébrale se tend et se tasse dans la position du poirier. Mon sang circule à une vitesse démesurée. Je ne suis plus seulement une tête. Merci.

6 juillet 1999

Le silence est d'or. Je m'accorde de longues heures. Elles sont vouées à la réflexion. Je sais parfaitement, et cela me l'a été confirmé par de nombreux livres de thérapeutes, que la dépression ne guérit pas avant d'en avoir compris réellement le sens. Le médicament m'aide à me jeter dans le bain des activités sociales, professionnelles et familiales. Il ne peut faire de miracle. Ce n'est pas une pilule qui me rendra merveilleusement épanouie. Ces molécules m'aident à vivre et à tenir décemment debout. Elles ne modifient ni mes pensées, ni mon environnement, ni mon passé, ma famille, mes amis. On ne peut lui donner tous les pouvoirs. C'est une aberration. En vérité, c'est un vrai travail. Atteindre la paisibilité, pour qui que ce soit, est une philosophie à créer, un art de vivre.

7 juillet 1999

Suis-je heureuse ? Cela signifie quoi ? Vivre sans angoisses, voir la vie en rose, pouvoir me projeter dans la vie de façon totalement optimiste, être de bonne humeur dès le saut du lit, avoir une vitalité débordante, un enthousiasme à tout crin ?... Alors, je ne le suis qu'à moitié, ou aux trois quarts. Je vis encore au jour le jour. Heure par heure. Sur mon échelle de valeur, j'oscille entre 4 et 6. Cela dépend des instants. Je ne sais plus vraiment ce que signifie le mot bonheur. Ne plus souffrir est ma première priorité. Ne plus souffrir de vivre. Je soupire de temps en temps. J'avance encore à pas de tortue. Le plus, très net depuis ma sortie de clinique, ce sont mes gestes quotidiens, aisément réalisés. C'est la première fois en trois ans. Je n'éprouve plus de difficulté à l'action. Le miroir me renvoie un visage apaisé. L'avenir, je l'imagine empreint de projets. M'en réjouir, je n'en suis pas là. Mais j'éprouve du plaisir à me réaliser socialement. C'est important. Je désire m'assumer complètement. L'autonomie financière est capitale. Non pour l'argent gagné, mais pour le reflet de soi. Ces changements sont tout à fait neufs. Ma susceptibilité et ma sensibilité sont effacées. Le regard ou la critique de l'autre m'indiffèrent. Je ne vis plus à travers eux. Plus besoin de leur jugement pour savoir qui je suis. Comment le pourraient-ils d'ailleurs ? Moi qui mets tant de temps à me connaître, à me comprendre, à m'apprendre. Je ne critique plus. Je ne juge plus. La tolérance, la compassion et la compréhension sont mes armes essentielles. Que d'énergie perdue à toujours trouver moins bien que soi ! Cette dépression guérissante m'engage à la docilité, l'amour et le respect du territoire des autres. J'impose bien entendu le mien. Personne ne peut plus grimper sur ma tête ou violer mon champ.

8 juillet 1999

Les fantômes de la dépression ne sont pas encore partis hanter une autre maison. Ils stagnent devant ma porte. La rébellion contre ces états de non-dégustation de la vie doit être constante. La bataille doit être assidue. Mon mari accompagne ce chemin de guérison avec la certitude de ma victoire. Ce soutien est capital. L'entourage immédiat influe grandement sur mon état et sur son évolution. Il faut être vigilant en permanence. Quelle fatigue ! Il n'existe pas d'autres possibilités. Rencontrer des personnes dans mon cas (en phase de guérison ou en phase ascendante) est une vraie demande. Malheureusement, les vacances apportent leur lot de solitude. Les réunions de groupes de paroles et activités se font plus rares. Pour m'aider à capitaliser mon pouvoir sur cette maladie, je note aujourd'hui les améliorations suivantes : intérêt à la lecture, pouvoir de réflexion et de concentration accru, appétit normal, plaisir aux choses simples : appréciation d'un coucher de soleil, possibilité croissante de vivre pleinement l'instant sans inquiétudes ni angoisses existentielles, sens des responsabilités grandissant, courage décuplé, force physique permanente, fatigue disparue, somatisation nulle, juste appréciation de ma valeur et par conséquent non-dépréciation de ma personne, facilité d'élocution ou d'émettre un point de vue. Le quotidien n'est plus une somme d'efforts.

9 juillet 1999

Journée force 7, vents violents dans mon cerveau agité. Je reçois mon père et sa fiancée. Chahutée par mon nouveau traitement antidépresseur qui lentement se met en place, je ne suis pas prête à sourire sur ordonnance. Cette façon qu'a mon père d'ignorer mon état ou de ne pas en parler est honnêtement dégueulasse. Lors de ma seconde hospitalisation, il est venu me visiter deux fois. La première, vingt minutes, la seconde, un coup de vent. En un mois, c'est peu. Sans parler de ses appels téléphoniques pressés. Est-ce de la lâcheté devant la maladie, de la pudeur ou les deux à la fois ? Résultat des courses, le lendemain de notre dîner, je suis incapable de venir les saluer. Je reste dans ma chambre, calfeutrée. Est-ce ma façon de contester une attitude que je trouve répréhensible ?

10 juillet 1999

À la campagne, dans mon village, fleurissent plus d'officines que de boulangeries. Seraient-elles en train de détrôner nos pittoresques cafés-bars ? Assise à une terrasse de café déserte, la seule animation est de scruter l'autre, l'inconnu. Celui que je ne connaîtrai jamais. J'observe ces individus entrer et sortir de ces pharmacies, l'air inquiet en entrant, palpitant d'espoir en sortant. Si je regarde bien un visage, si je prends le temps, tout se lit. Du léger vague à l'âme à l'assombrissement le plus total. « À vingt ans, t'as la gueule que t'as, à quarante, celle que tu mérites. » Nous sommes les forgerons de notre pâle visage. Défauts et qualités se partagent le gâteau, les miettes étant données à l'hygiène de vie, aux méfaits du soleil, à l'arbre généalogique, aux intempéries, au manque de sommeil et à la cigarette-café. Ma grand-mère me rappelait que les femmes critiquant sans cesse deviennent vilaines. Avis aux amateurs. Et la dépression, cela se voit ? Selon un spécialiste dont le livre a pour titre *Le Visage de l'âme*, « la dépression, c'est une histoire de sourcils ». L'un plus haut que l'autre. L'œil, plus ou moins fermé. Si la partie gauche de notre face est diminuée, la dépression viendrait d'un problème posé par la mère, l'inverse pour la partie droite, partie supposée s'accorder aux attributs masculins. Combien de fois me suis-je arrêtée devant le miroir avec cette lancinante question : « Ça se voit ? » Aujourd'hui, ce masque de dépression a disparu. C'est déjà un grand pas.

11 juillet 1999

La pâte à crêpes, il faut la laisser reposer, comme la dépression. Pas de précipitation en ce qui concerne la compréhension d'un tel ravage. Plutôt un traitement adapté et du repos. Cette longue période de souffrance permet ainsi d'être atténuée. L'inconscient se rendort quelque temps. La pause nécessaire. En phase de crise aiguë, la douleur est trop vive pour qu'une approche psychanalytique puisse avoir son effet. À ce moment-là de la dépression, nous ne sommes pas en mesure de l'affronter et de mener la démarche qui permet d'aboutir aux bonnes conclusions. À présent plus apaisée, la thérapie que j'engage aujourd'hui, et ce depuis quelques semaines de manière intensive, remue encore beaucoup de monstres enfouis. Le monstre du loch Ness sort une fois par an, là c'est tous les jours. Il faut pouvoir assumer. Lui couper la tête définitivement, afin qu'il ne réapparaisse jamais, est l'unique solution. Je m'épargne alors une éventuelle rechute ou récidive. Entrer en thérapie, c'est entrer au couvent. Les rendez-vous doivent être rituels. Le même jour, de préférence à la même heure. Je travaille mes séances quelques jours auparavant, je réfléchis. Non sans mal, c'est parfois confus. Important, le soutien du thérapeute. Seul, ce serait impensable. Nos analyses seraient faussées. On ne peut être dans le verre et à l'extérieur du verre. La vue n'est pas la même. C'est mathématique.

12 juillet 1999

Le cerveau se fane. Comme nous. Un peu moins vite, mais gentiment et à son rythme. Les antidépresseurs sont-ils nocifs ? Ou la dépression non traitée plus dangereuse ? J'opte pour la seconde hypothèse. Ne pas en abuser sur toute une vie me paraît prudent. Souffrir fait plus de dégâts. Nos artères, nos veines, celles du cerveau j'entends, se crispent et s'usent. Passé un certain âge, il nous faut recourir à une gymnastique de notre cher cerveau. Stretching sur mots croisés. Footing sur « Des chiffres et des lettres » et course de fond sur « Questions pour un champion ». Pour l'homme adulte, en pleine possession de ses moyens : lecture, écriture, pensée, réflexion, analyse, mémorisation sont des exercices indispensables. On n'a rien sans rien. Tout se paie. Le faire fonctionner encore, toujours, plus que jamais. À vingt-cinq ans, selon les gérontologues, nous sommes au top, à trente ans, c'est le début du déclin. Le commencement de la fin. Pour tous, c'est une histoire d'hormone. La fameuse DHEA. Le professeur Beaulieu a prouvé que cette hormone faiblissait d'âge en âge. Ses recherches sont en cours. Le but : vieillir oui, mais moins vite. La révolution, la connaîtrons-nous ? J'en suis certaine. En attendant, il faut se priver d'alcool, de gâteaux, de confiseries, de chocolats, de graisses, de cigarettes, de pilules, se bourrer de vitamines antioxydantes et faire l'amour sous préservatif. Même avec sa femme ou son mari. Est-il fidèle ?

13 juillet 1999

Mes capacités intellectuelles reprennent de la vigueur. Mes trous de mémoire s'espacent. Ma concentration augmente. Mon plaisir d'être est net et précis dès le réveil. Encourageant. Le seul point noir : un ressort nocturne systématique à trois heures du matin, une insomnie toutes les nuits. Étrange. Nous connaissons mieux le fonctionnement de notre voiture que le corps humain. Si nous demandions à cent personnes de dessiner nos organes, nous aurions de frappantes surprises. Aparté clos, je maîtrise tout de même mieux mes réactions. Une sorte de douceur de vivre se met à mon service. Sur mon échelle morale, je monte à 6. Un chiffre pair. La seule chose dont je sois fière, c'est mon traitement. Nous avons trouvé la parfaite combinaison. Sans hold-up, mais avec prise d'otage : moi ! Deux ans et demi de calvaire dans la brousse des médecins. Moi qui les prenais pour des dieux vivants. Ils sont comme nous, pétris de doutes, de peurs et de non-savoirs. Le vrai généraliste devrait être « spécialiste en tout ». Ce ne sont que des êtres humains, aussi savants puissent-ils être ! Comme dans tout métier, il y a les bons et les mauvais. Coup de chance, loto ou faillite. Avec ou sans argent, tous au même régime. L'égalité la plus totale. On parle de médecine à deux vitesses, c'est probable. Je reste néanmoins persuadée que la vénalité tronque le discernement et pousse le médecin à recevoir le plus de « clients » possible. Ce qu'il faut, le flair. Comme un animal. Je sais maintenant d'entrée qui saura me soigner, et qui m'achèvera. L'urgence, écouter son instinct. Il nous prévient toujours.

14 juillet 1999

Mon mal de vivre s'essouffle. Je crois qu'après la seconde mi-temps (la réhospitalisation), la dépression est un peu fatiguée, elle aussi. Nous voici maintenant au terme des prolongations. Croyez-moi, j'ai la rage. Nous n'irons pas jusqu'aux tirs au but. Cette coupe, cette victoire, je la brandirai, comme nos héros footballeurs. Avec la même émotion. Ce combat est à gagner, pour moi, pour l'autre, pour tous. Cette victoire, c'est aussi la victoire sur le pessimisme. Jusqu'au bout, le dernier souffle peut apporter le but en or ! Le pouvoir de la volonté. Ce qui est indispensable, c'est de continuer à y croire, même si les forces s'épuisent, si le mental stagne, si l'entourage se décourage et si le temps presse. Il n'y a pas de fatalité. Il faut se battre. Un point c'est tout. La question à se poser est simplissime : est-ce que je veux vivre ou est-ce que je veux mourir ? Je veux vivre.

15 juillet 1999

Le mal-être est la principale conséquence d'un système de plus en plus déshumanisé. À l'inverse des machines, travaillant vingt-quatre heures sur vingt-quatre, jamais malades, perpétuellement productives, nous n'avons plus le droit de souffrir. Nous ne pouvons plus affirmer sans honte notre mal-être. Nos deuils, séparations, angoisses doivent être vécus dans le silence. Dans le cas contraire, le licenciement est la sentence. Pas assez rentable pour la société. Plus nous avançons, plus nous souffrons, plus nous consommons d'anxiolytiques pour tenir le rythme, de dopants pour remonter l'énergie, de cafés pour nous stimuler, de cigarettes pour nous détendre. La spirale. Ceux qui ne basculent pas dans la dépression sont les chanceux de ce nouveau siècle. La moitié de la population est au bord de la crise de nerfs. Malgré ce constat peu optimiste, aujourd'hui, je remonte au niveau 7.

16 juillet 1999

Délivrance. À la suite d'une longue période d'autoanalyse, à l'aide de l'ouvrage de Linda Hay *Transformez votre vie*, j'ai enfin compris mes schémas, mes cognitions, mon mode de vie. Dur apprentissage. Se regarder en face, sur le côté, derrière et de trois quarts « à la loupe grossissante » est le voyage le plus périlleux et le plus sublime qui soit. Un vrai labyrinthe.

17 juillet 1999

Il me semble que je parcours les derniers mètres de ce terrible marathon. Ce ne sont pas les plus durs, car j'aperçois, un peu floue, la ligne d'arrivée. Mon traitement me soutient à merveille. Je retrouve l'audace et la fougue de mes dix-huit ans. L'enthousiasme, la curiosité commencent à me faire frétiller. Ce qui nous rend jeunes, c'est l'intérêt que nous portons aux événements, à la société, aux autres, à la culture, aux expressions de toute nature. Un dépressif prend quinze ans d'âge. Son visage s'affaisse comme une ruine, ses paupières s'inclinent en cocker, ses mâchoires se serrent comme celles d'un pitbull. Première fois depuis trois ans que l'on me complimente autant. « Quelle mine tu as, tu es étincelante ! » Merci beaucoup mes amis, vous me faites le plus beau des compliments.

18 juillet 1999

Si je suis honnête, je peux considérer qu'une dépression peut être une chance. Celle de se dépasser, d'oser entreprendre, d'arracher une vieille carcasse. Seulement l'inconnu, la nouvelle peau, le terrain vague, ça terrifie. Tellement que l'on préfère garder ses vieilles pantoufles, de peur de tout perdre. J'ai tout perdu. J'ai tout gagné. J'en suis sûre. Ce sera ma récompense.

19 juillet 1999

Nouveauté. J'ai la sensation de rompre totalement avec mon passé. Je suis ancrée dans le présent. Je mise même un peu sur l'avenir. Changement radical. Je peux projeter. J'habite enfin ma vie et mon corps. Dépressive, je vivais tournée vers le passé, bloquée en un point T, incapable d'assumer la notion de présent et encore moins d'avenir. En état de dépression, la notion de temps explose. On avance heure après heure. Jour après jour, c'est déjà trop. Je comptabilise mes progrès. Ils sont infimes. Ils le sont et, pourtant, ils portent en eux tous les espoirs.

20 juillet 1999

Nous portons tous en nous trois personnages qui se façonnent au fil de notre vie : l'enfant intérieur (la petite fille ou le petit garçon que nous étions), l'adulte que nous sommes et le parent que nous devenons. L'équilibre psychique et mental naît de la construction successive de ces trois personnages. L'adulte doit prendre le pas sur l'enfant et ainsi pouvoir endosser son rôle de parent. Je m'aperçois que je n'ai pas encore complètement soulagé les craintes et malheurs de la petite Claire. « Tu n'as plus à avoir peur, tu es une adulte aujourd'hui, et aucun mal ne te sera fait. » Je prends conscience de la peur de l'avenir qu'avait cette enfant, terrassée d'angoisse, cherchant un refuge à tout prix. Combien de temps faudra-t-il à l'adulte que je suis pour rassurer et apaiser l'enfant que j'étais ? Pour certains, cicatriser et guérir demande une vie entière. Pour d'autres, une vie même ne suffit pas. Pour moi, je pense qu'il aura fallu le temps d'une dépression.

21 juillet 1999

J'ai commis l'erreur de relire mon journal. En entier. Résultat : mon histoire, comme un terrain miné, a laissé exploser quelques bombes oubliées. Les bombes à retardement sont parfois les plus perverses. Cette nuit fut une aire de combat. Je comprends qu'il me faut tourner la page, réellement et définitivement. Ne plus vivre avec la mémoire de ces années de souffrance. Gratter une plaie en permanence ne peut que contrarier et retarder la guérison. La seule chose à faire : trouver de nouvelles activités, changer de vie, parler de tout et de rien, faire confiance à notre pouvoir, passer à autre chose. La volonté est mon fil rouge.

22 juillet 1999

Le fait de comprendre les raisons de ma dépression ne suffit pas pour guérir. Paradoxalement, la prise de conscience de ma réalité est elle-même génératrice de dépression. D'où, dans un premier temps, le cercle infernal : plus je prends la mesure de cette réalité, plus j'en souffre, et plus je sombre. La guérison consiste à la digérer pour pouvoir la dépasser. Seulement, cette digestion ne peut se faire que par étapes. J'en suis à ce stade. La maîtrise totale de sa propre existence survient lentement. Pas à pas. Presque inconsciemment. Grâce au travail accompli avec l'aide du thérapeute, je parviens à présent à couper le cordon avec mon père, à maintenir sans douleur ma rupture avec ma mère, à mettre un terme définitif à mes rapports avec mes « fausses amies », à imposer désormais dans ma relation aux autres mes règles de conduite et l'autonomie de mon existence. En clair, à inverser les rôles et à quitter pour toujours l'état de « victime » (celle qui préférait se sacrifier et souffrir plutôt que de blesser l'autre ou de ne pas lui plaire). À ce travail doit s'ajouter la mise en place de données matérielles et concrètes. Dans mon cas, par exemple, ce déménagement qui m'éloigne de l'immeuble de mon enfance, le retour à ma vie sociale et professionnelle qui affirme cette nouvelle identité de femme.

23 juillet 1999

Avoir volontairement gardé le silence sur ma dépression est une force. Ne pas en parler permet de sortir plus rapidement de cet état. Je ne subis ni ingérences, ni questions indiscrètes, ni témoignages contradictoires. Pour mes proches et mon entourage, je suis « normale ». Être en dépression est encore une tare. La seule solution pour que le tabou disparaisse : faire sauter le mur de la désinformation. Comment ? En organisant une journée de sensibilisation et des spots télévisuels voués à la prévention. Ils empêcheraient les dépenses considérables de la Sécurité sociale liées aux états dépressifs et à leurs somatisations multiples. Le but : rendre au dépressif son statut de malade. L'intérêt : faire prendre conscience à l'ensemble de la population que la surconsommation de tranquillisants n'est pas une solution. Informer le plus largement possible. Interdire aux généralistes la prescription d'antidépresseurs, même légers (quatre-vingts pour cent des ordonnances sont rédigées par leurs soins). En attendant, au-delà d'une prescription de six mois, obliger le praticien à diriger son malade vers un spécialiste pour un véritable soutien psychologique et une plus juste adaptation thérapeutique. Les antidépresseurs sont d'un maniement délicat et peuvent, mal utilisés, s'avérer dangereux. Ce n'est pas du fascisme. C'est empêcher les suicides, les cas indéfiniment mal traités, les souffrances prolongées. Le seul obstacle : les laboratoires pharmaceutiques. Tranquillisants, hypnotiques, sédatifs divers, plantes, anxiolytiques, antidépresseurs, antidouleurs, calmants du système nerveux central représentent trente-cinq pour cent du chiffre d'affaires des pharmacies. Sans parler du « jackpot » que constituent les vitamines et autres stimulants pour relever la barre et tenir le coup. Combien de temps continuerons-nous à nourrir ce marché ?

24 juillet 1999

Le temps du pardon est arrivé. Le pardon pour ceux qui m'ont blessée. Il me libère d'un poids considérable. En acceptant la faiblesse de l'autre, c'est moi que je caresse. Je veux me sentir libérée. Sans aigreur, ni rancœur. Le plus dur, ne pas avoir pitié. J'avoue avoir du mal. J'aimerais me détacher sans regret, et pourtant... Il me reste encore quelques haies à sauter. La liberté passe par une forme d'égoïsme qui ne connaît pas d'apitoiement. Est-ce la névrose chrétienne qui m'habite : « Tends l'autre joue », encore et encore ? « Sacrifie-toi pour ceux qui ne savent pas » ? Mon catéchisme hebdomadaire durant de longues années m'a peut-être déformée. Mais il m'a appris une chose, dont je fais le socle et le pilier de mes actes : « Ne fais pas à autrui ce que tu ne voudrais pas que l'on te fasse. » Cette phrase s'adresse à ceux qui ont empiété sur ma vie, mes projets, mon bonheur. Je ne leur en veux pas, l'ignorance et la bêtise sont les pires maux.

25 juillet 1999

Le sommeil est réparateur. J'aime avaler mes petites pilules. J'admets que c'est essentiel. Lorsqu'elles glissent dans ma gorge, je souris et laisse pétiller mes yeux. Extrêmement important : avoir confiance en son traitement. L'aimer, au-delà de tout. Lui donner tous les pouvoirs. Résultat, ma courbe d'humeur se stabilise à 7. Je suis impatiente d'arriver à 8. Je sais néanmoins devoir attendre. Il faut beaucoup de patience. Je dois détourner mon regard de ce nombril. Aller vers les autres pour finir le travail de guérison. J'ai fait le nécessaire. Il va me falloir quitter l'écriture de ce journal. Maintenant, il me faut vivre, réapprendre à vivre. L'appétit vient en mangeant ! La vie vient en vivant !

25 juillet 2000

Un an... Magie : espoir et confiance concrétisés. Par escaliers, lents, fatigants, je suis remontée au niveau 10 : le bien-être. J'ai dépassé la peur. J'ai dépassé les doutes, les incertitudes, l'ombre.

Aujourd'hui et pour toujours, lorsque l'on frappe à ma porte sans se présenter, je n'ouvre plus.

La dépression mise à nu

*Tirons notre courage
de notre désespoir même.*

Sénèque

La souffrance s'est éteinte. Le volcan de la douleur ne se rallumera pas. Les traces de son éruption m'empêchent simplement d'oublier. Je dois comprendre le fonctionnement d'un tel ravage. Le parcours d'un calvaire.

La dépression est une maladie que l'on subit. Elle dévaste avec la violence d'une tempête. Elle détruit sans remords ni scrupule. Elle nous manipule et fait de nous un esclave maudit.

Réfléchir, analyser, « dépouiller » cette maladie, tels sont mes objectifs. Qui peut-elle être ? Sous quels visages se cache-t-elle ? Comment prévenir son entrée dans le cirque de la vie ? Subit-on ses assauts une seule fois ? Est-ce un répugnant loto ?

De nombreuses questions habitent encore mon esprit, assoiffé de vérité. L'homme et son insatiable besoin de raisonner, de trouver des solutions, refont surface. Ces réponses attendues nous proclameront maître. Maître de notre santé. La dépression n'est pas une fatalité.

Pouvoir, par les mots et la réflexion, disséquer et découvrir tous les aspects de la dépression est une nécessité. La comprendre, pour finalement la vaincre, est une immense jouissance.

Vade retro dépression.

Introduction

On ne bâtit un bonheur que sur un fondement de désespoir,
je crois que je vais pouvoir me mettre à construire.

Marguerite Yourcenar

Comment ne pas confondre cafard, blues, fatigue intense, surmenage, stress avec une vraie dépression ?

Déprimé ou dépressif ? Sur cent dépressions, à peine la moitié font l'objet d'un traitement adapté. Pourquoi ? Car le dépressif ignore et refuse son état. Se plaignant d'une kyrielle de symptômes, il ne peut identifier le mal qui le ronge soigneusement. Il est alors un simple déprimé.

Après avoir tenté, en vain, de remonter la pente, il se rend chez son généraliste, avançant le motif suivant : une immense fatigue. Le diagnostic se précise. Est-ce une fatigue normale, due à un rythme de travail soutenu, un stress conséquent et un manque de sommeil ? Ou est-ce une fatigue qui persiste au-delà de trois bonnes nuits de repos ? Est-elle présente tout au long de la journée, et ce depuis plusieurs semaines ? Rend-elle toute action pénible, voire impossible ?

Dans le cas d'une réponse positive à la première question, nous avons affaire à un déprimé qui vient à temps. Dans la seconde hypothèse, à un dépressif qui s'ignore.

Être découragé, déprimé ou simplement triste ne revient pas à déclarer que vous êtes passablement en train de « tomber en dépression ». Ces humeurs normales, le plus souvent réactionnelles à certains stimuli extérieurs, mal vécus et mal digérés, vous permettent de faire ce que l'on appelle communément un travail de deuil. Renonciation à quelque chose ou à quelqu'un.

Comment évaluer la profondeur de votre état ? Tout simplement en mesurant votre douleur. J'entends ici votre douleur morale. Pour commencer, ce peut être, au départ, un sentiment de découragement, une inquiétude, un regret, une insécurité permanente, couplée de légère anxiété. Cela ne correspond pas à proprement parler à une dépression, mais plutôt à un épisode dépressif. Cet état ne nécessite pas de traitement allopathique (médicaments) mais plutôt un soutien psychologique afin d'évacuer les inquiétudes du présent et de réaborder l'avenir plus sereinement. But d'un tel dialogue : relativiser pour revenir à une vision de la vie objective et tranquille. En revanche, si la douleur morale s'accentue considérablement, on ne peut effectivement parler de coup de cafard ou de coup de blues, mais bien d'un début de dépression. Avec son cortège de symptômes : anxiété majeure, ruminations constantes d'éléments négatifs, dévalorisation importante, angoisse, perte d'intérêt totale pour tout, tristesse et mélancolie, associées souvent à des crises de larmes, sans fondement apparent. À ces états se mêle aussi un sentiment de peur. Peur de l'avenir, peur de sombrer dans la folie, peur de tout perdre. Le pessimisme devient récurrent. Rien, pas même une semaine dans les îles du Pacifique ou plus simplement un film hilarant, ne peut modifier votre état.

Ce mal de vivre, cette impossibilité de jouir des moments de l'existence, même bénins, comme une belle journée ensoleillée, sont effectivement les facteurs annonciateurs de dépression. Par ailleurs, toujours dans le but de distinguer chagrin et mélancolie transitoire, la dépression s'accompagne majoritairement de troubles psychomoteurs qui se traduisent par une très grande difficulté à réaliser la moindre tâche, par une fatigue présente dès le matin même à la suite d'une bonne nuit de sommeil. Les gestes les plus routiniers – se laver, s'habiller, faire ses courses – prennent une dimension insoutenable et demandent des efforts considérables. Ils font naître de plus une immense culpabilité chez le sujet qui se reproche de ne plus pouvoir vaquer à des occupations si futiles. Puis, la dépression s'installe insidieusement. L'heure du lever est plus tardive. On ne se lave plus qu'un jour sur deux, voire plus du tout pour certains. Réel état d'anéantissement, la dépression transforme les êtres en « morts vivants », avec une petite nuance insolite, c'est-à-dire en morts vivants souffrant le martyr. Celui de ne plus supporter de vivre. Ce n'est pas un virus mais une « sourde » maladie. Une maladie mortelle.

Le stress*, précurseur d'un état dépressif ?

Chercheurs, médecins et scientifiques se penchent sur une donnée fondamentale de la société moderne : le stress. Il serait, selon les thérapeutes, le bâton de dynamite qui laisse exploser notre caisson. La goutte d'eau. Le déclic et le détonateur.

Qu'est-ce que le stress en définitive ? Le stress est une sensation d'urgence. Toutes nos hormones et fonctions sont soudain sous pression maximale. Elles doivent répondre en un temps record à des objectifs précis et multiples. Pour ce faire, le stress pompe « dans nos glandes surrénales » (glandes situées au-dessus des reins), déclenchant une vague de stimuli intérieurs.

L'être humain des années soixante-dix n'était que moyennement stressé. Les années de crise surviennent au début des années quatre-vingt. Le stress devient pour lors dominant dans toutes les classes socioprofessionnelles, provoquant malaises, maladies, déprimes et dépressions. Le stress constitue 70 % des consultations du généraliste : épuisement, chute de notre système de défense immunitaire, lassitude.

Faites courir un rat dans tous les sens pendant quatre ans et observez le résultat ! Deux possibilités : soit il ne répond plus à vos stimuli, restant prostré et anéanti ; soit, beaucoup moins palpitant, il devient fou, développant crises, paniques, angoisses, somatisations, phobies, irritabilité... Être un bon stressé, cela s'apprend, paraît-il ? Nombre de bouquins se vantent de connaître la recette antistress. Mais pour celle ou celui qui bosse à l'usine, qui a le couperet du licenciement au-dessus de la tête en permanence, à qui l'on demande

---

* Stress : « Réponse non spécifique de l'organisme à toute demande qui lui est faite » Hans Seyle.

d'augmenter sa cadence et son taux de production, et ce sans broncher, qui élève deux ados ronchons, votre bouquin, il ou elle s'en servira sûrement, mais pour s'assommer un bon coup. Histoire de se reposer.

En attendant, les scientifiques clarifient et dévoilent les conséquences du stress. Ils déclarent qu'il contribue au développement ou à l'aggravation de problèmes physiques tels que :

- les maux de tête
- la fatigue
- la transpiration excessive
- les rougeurs sur le visage
- le rhume chronique
- les crises d'asthme
- l'hypertension
- les maladies cardiaques
- les maladies de la peau
- les problèmes d'estomac
- les douleurs et maux diffus
- le diabète
- la diarrhée
- le rhumatisme et l'arthrite.

Des périodes prolongées de stress provoquent ou aggravent aussi certaines maladies mentales qui peuvent se manifester de diverses manières. Selon le taux de stress accumulé sur deux ans, l'organisme se défend alors en développant névroses, phobies ou dépressions (*se reporter au test d'évaluation des stress,* p. 119).

Face à la dépression, sommes-nous tous logés à la même enseigne ?

Le risque de connaître une dépression au cours de sa vie dépend bien entendu de plusieurs facteurs. Nous ne sommes pas tous exposés avec la même intensité.

Premier facteur : le terrain génétique. Selon les recherches du professeur Kousmine, l'étude d'une même famille sur trois générations suffit à mettre en lumière le risque d'une potentielle dépression. Exemple : si l'un de vos grands-parents est alcoolique et que votre mère est une anxieuse hypocondriaque, vous serez considéré comme une personne à risque.

Deuxième facteur : l'histoire personnelle, l'enfance, le contexte familial et social, le rapport aux parents. Cet historique est capital. Il développe ou détruit en certains points votre personnalité.

Troisième facteur : la qualité de vie. Qu'importe votre milieu social et professionnel, si vous bénéficiez d'un encadrement sain et naturel, vous êtes ancré dans de sérieux repères. De fervents remparts contre les intempéries de la vie. Suffisamment costauds pour vous enraciner dans la santé. Grandir et vivre près de la nature est un remède imparable. Elle apporte équilibre et compréhension des rythmes vitaux.

Quatrième facteur : le rapport entre « vos plaisirs dans la vie » et « vos contraintes ».

Notre vie se partage entre plaisirs et contraintes, ponctués de bonheurs limpides et de malheurs inéluctables. Si la colonne Plaisirs est plus dense que la colonne Contraintes, autrement dit si nous bénéficions d'un cadre de vie agréable, d'une bonne situation matérielle, d'un véritable épanouissement dans notre activité professionnelle, d'un environnement affectif fort, et si enfin nous sommes en mesure de donner un sens à notre existence, nous avons toutes les chances d'échapper à la déprime et à la dépression. À l'inverse, si la colonne Contraintes domine notre quotidien – cadre de vie difficile, précarité matérielle, travail effectué par nécessité et non par choix, par goût ou vocation, autant d'éléments qui retirent du sens à la vie, à notre raison d'être –, alors nous sommes beaucoup plus exposés à la dépression. Bien entendu, il ne faut pas généraliser et laisser croire que les femmes et les hommes ayant une situation privilégiée ne connaissent pas la dépression.

Cependant, statistiquement, les classes sociales défavorisées sont plus touchées par la dépression. Trop affectées par la vie courante, sujettes aux pressions, voire même aux humiliations, n'ayant aucun ou très peu de plaisirs à la clé, « les personnes tombent en dépression », dépression d'épuisement, dépression réactionnelle ou dépression névrotique. Elles ont de ce fait plus de mal à donner un sens à leur vie, un sens qui pourrait les porter et finalement leur donner une raison de vivre. Suite à mes nombreux questionnaires, j'ai ainsi pu établir la conclusion suivante. Prenons deux listes : la colonne Plaisirs et la colonne Contraintes. Si votre liste de « plaisirs dans la vie » est longue, vous êtes protégé de la dépression. Maintenant, si votre colonne Contraintes dépasse largement votre colonne Plaisirs, vous êtes limite en quelque sorte. Un ajout de plus à cette maudite colonne Contraintes et vous pouvez sombrer dans la déprime. Celle-ci, non traitée, peut aboutir à une dépression.

Vous

L'espérance est un emprunt fait au bonheur.

Joseph Joubert

Qu'est-ce qu'une dépression ?

Une crise, une douleur, une naissance, ou les trois à la fois ? Renaître dans les cris, les spasmes et les pleurs ? Qui entend ces cris de souffrance, cachés, honteux, disséminés, de notre mal de vivre ? Personne... apparemment !

Sauf les personnes concernées, seules au monde et paniquées, traversant une crise existentielle dans l'univers qui reste entier à découvrir : le cerveau humain. Noyées dans un puits sans fond, avec en tête ces questions à jamais vivantes et sans réponses : vivre pour quoi ? Pour qui ? À qui et à quoi ça sert ? Puisque l'on connaît la fin, le film n'a pas d'intérêt ! Vivre pour mourir ? Ou vivre et mourir ? Est-ce si difficile à supporter ?

Mais après tout, est-ce nous qui allons mal, ou est-ce la société tout entière qui chavire, n'ayant plus le temps de réfléchir à ses propres crises, refusant de porter ses chagrins, dénigrant le travail de deuil et les séparations nécessaires, prouvant à qui veut l'entendre qu'elle n'a jamais été aussi jeune, belle, dynamique et, finalement, virtuelle... Mais alors, qu'avons-nous à avoir le blues, nous qui sommes l'un des pays les plus consommateurs de tranquillisants et d'antidépresseurs ?

Qui donc se penchera sur la question ? Certainement pas l'industrie pharmaceutique qui en profite au maximum.

Par ce livre et grâce à mon expérience, je me suis donc posée la question. À la naissance, nous avons toutes et tous notre valise déjà bien chargée : le poids de la généalogie.

Et puis, au fil des ans, un beau jour, cette valise explose, trop remplie par nos souvenirs pesants, nos carences affectives, nos frustrations, nos refoulements, nos traumatismes.

Ce jour-là s'appelle dépression.

Il nous force à renaître, à nous dépouiller de toutes nos certitudes, à nous mettre à nu. Une fois le travail accompli (notre remise en question) et nos sales bagages oubliés dans une consigne au bout du monde (notre dépression), nous reprenons le cours de notre vie, tranquille et apaisé.

Feu d'artifice. Apothéose. Voici le XXIe siècle. Siècle de la prise de conscience du mal de vivre. Siècle de la déprime. La petite planète se rétrécit grâce à Internet et l'homme s'étrique dans la douleur du silence. Siècle de supercommunication, vitesse de la lumière. L'e-mail remplace l'encre diluée. Le fax, la parole. Le toucher tactile de l'ordinateur, les mains. Le dialogue est rompu. L'image a pris le pouvoir. Les mots ne sont que surenchères. Siècle des dépressions par dizaines de milliers. Fléau national au même titre que le cancer et le sida. Naissance de ces nouveaux « malades de la vie ». Ceux qui ne peuvent plus faire face. Trop de stimuli, trop d'informations, trop de tout et pas assez d'écoute. La chaîne humaine est maintenant reliée par des câbles.

Dépression, du latin *depressio*, signifie affaissement, enfoncement, aplatissement, diminution des forces physiques et morales. Suite à ses différents travaux et conclusions psychanalytiques, Freud donne naissance, entre 1920 et 1930, au mot précis de dépression.

En voici la définition : « Variation multiple et désordonnée de l'humeur avec, ou non, association de troubles du comportement et somatisations diverses. » Une tristesse terrible nous habite doucement. Elle navigue dans tous les secteurs de notre vie, à un rythme lent, jusqu'à l'insoutenable. Elle freine nos envies, les inhibe, les cloître. Anéantit notre capacité à nous projeter dans la vie. Devient handicapante. Elle éteint toute force physique et toute volonté. Pour certains, cela peut être ne plus se mouvoir. Ne plus pouvoir se laver. Ne plus rien faire, même pas tendre le bras pour boire de l'eau. Encore moins répondre au téléphone, même à des êtres chers. La sensation de plonger dans un puits sans fond. De s'enfoncer dans de la terre glaise. Des images négatives se projettent en permanence sur un écran vide déconnecté de sens. Le pis est envisagé dans chaque situation, ponctué parfois de crises de panique. Simple et cruel. Nous pensons que nous allons en crever. Ces sentiments négatifs et destructifs de nous-même sont intenses et quotidiens. Toutes nos activités se trouvent bouleversées.

Lorsqu'une dépression survient, la première question que se posent les « spécialistes » est la suivante : est-elle due à des facteurs externes au patient – deuil, séparation, divorce, déménagement, maladie d'un proche, licenciement, etc. ? Ou est-elle arrivée « sans préavis » ?

Se distinguent alors deux sous-groupes : les dépressions exogènes (dépressions favorisées ou ayant vu le jour à cause d'éléments extérieurs au patient lui-même) et les dépressions endogènes (dépression survenue sans aucune raison apparente et sans le moindre incident ou changement externe).

La dépression ou l'état dépressif emportent avec eux de multiples tabous. Encore liés à la folie en 1950, ils sont toujours synonymes de faiblesse, de lâcheté, de fainéantise ou de mauvaise volonté, de manipulation, de sensibilité ridicule, de fragilité et surtout de culpabilité. « S'il est malade, c'est de sa faute ! »

C'est ainsi que le malade se trouve rapidement rejeté, incompris, exclu, mis en quarantaine, totalement isolé. Le véritable problème se pose. Devant un tel tableau de préjugés et d'a priori, l'individu se doit de mentir en permanence pour cacher son état. Ce qui renforce sa culpabilité. Il ne peut se reposer sur personne et ne trouve de repos nulle part. Ses plaintes non entendues aboutissent parfois à une tentative de suicide. Acte de désespoir, acte d'espérance de gratification de son entourage.

Êtes-vous vraiment malade ?

Prudence. Évaluer son état soi-même peut s'avérer trompeur et dangereux. Seul un médecin est apte à diagnostiquer une dépression. Sachez néanmoins qu'il existe un test d'évaluation de la dépression conçu et établi par d'éminents psychiatres (*se reporter au chapitre : Évaluer votre état,* p. 114). Au vu des résultats, il vous confirmera ou non si vous êtes réellement en dépression et ce de manière très juste, à condition que vous répondiez très sincèrement aux questions. En effet, le sujet a souvent tendance à enjoliver « sa situation ». Dans le doute, consultez absolument votre médecin. Si vous cumulez la plupart des symptômes suivants : ralentissement psychomoteur, apathie, tristesse, anxiété, angoisse, incapacité de faire des projets, visage inexpressif du « masque de cire », douleur morale, dévalorisation de vous-même, pleurs, troubles du sommeil, constipation, idées suicidaires, fatigue et inhibition, et si le total du test de Beck excède les seize points, vous êtes véritablement en dépression. La dépression est une maladie sérieuse. Elle doit impérativement être traitée. Il faut la soigner dès qu'elle s'installe. Plus vite sera fait le diagnostic, plus rapide sera la guérison.

Mon expérience

Lorsque je me suis soumise au test de Beck, je ne prenais bien sûr aucun médicament. J'ai refusé la sentence. Mes résultats m'orientaient pourtant clairement. Je me situais dans une dépression moyenne à sévère. J'ai rejeté ce test en bloc. Erreur fatale. Trois mois plus tard, c'était le grand plongeon.

Mon conseil

Soyez sévère. Radical. Intransigeant. Une plante comme la dépression prend racine extrêmement vite. Tel un lierre grimpant, elle devient rapidement carnivore. Son propos : s'installer au plus profond de votre être. Y rester le plus longtemps possible. Réagissez et vite.

Quels sont les différents types de dépression ?

La psychanalyse révèle plusieurs types de dépression.

La dépression névrotique

La névrose serait induite par l'expression de forts conflits psycho-émotionnels. Les névroses naissent chez des individus fragilisés durant l'enfance par la fréquence de différents traumas affectifs. Carences ressenties par rapport au père ou à la mère. Ces périodes de chocs émotionnels perturbent ainsi le développement de l'enfant. Malmené et dépassé, il développe alors des troubles de la personnalité. La névrose s'accompagne souvent de dépression ou d'épisodes dépressifs.

La dépression hystérique

La principale caractéristique de la dépression hystérique est une grande propension aux manifestations somatiques. Les malades semblent ainsi contrôler leurs douleurs psychiques. Cette forme de dépression se traduit par une immense fatigue, une anxiété majeure, de fortes somatisations (pouvant même aller jusqu'à la paralysie). Les sujets victimes sont des êtres à dominante égocentrique et narcissique. Ce peut être aussi une hypersensibilité accompagnée d'une hyper-fragilité, une forte dépendance du regard d'autrui. Ce type de dépression fut très bien constaté par le docteur Charcot à la Salpêtrière puis par Freud.

La dépression de type obsessionnel

Le caractère obsessionnel s'illustre par une tentative de contrôle de l'angoisse à travers l'établissement de rituels d'ordre, de rangement, de perfectionnisme, de vérification. Cette dépression agresse souvent des personnes extrêmement tendues à l'idée de mal faire. Leur manque de confiance devient alors pathologique. Elles se mettent à douter continuellement, repoussant toujours les échéances et les prises de décision. L'épuisement de ces contrôles et méticulosités les mène à des épisodes dépressifs ou à une dépression.

La dépression de type réactionnel

Elle survient à la suite de chocs ou traumatismes importants : deuil, divorce, séparation, déménagement, naissance, avortement, difficultés d'ordre sexuel, départ des enfants. Bref, tout événement venant bouleverser une vie bien en place. Mal gérés, ces chocs, tant positifs (comme le mariage) que négatifs, peuvent conduire tout droit à une dépression.

La dépression d'épuisement ou « burn out »

Pas besoin de commentaire pour expliquer cette dépression qui survient bien entendu à la suite d'un surmenage. Vidé de tous ressorts tant physiques que psychologiques, l'individu s'effondre littéralement. Suite à une pression trop conséquente vient la dépression. Ces stimulations excessives noient et épuisent le patient. Il déclare forfait.

La dépression de type mélancolique

Ce type de dépression rassemble la plupart des symptômes cités mais se complète par un ralentissement majeur de l'activité. Un anéantissement total et soudain fait craindre à l'entourage un acte suicidaire. On parle fréquemment « d'accès mélancoliques ». Ces hauts et ces bas sont souvent spectaculaires et assez déroutants. Ce qui marque ce type de dépression, c'est le poids de la souffrance. Une vraie douleur de vivre, une forte inhibition. Des tourments reposent sur une insatisfaction constante, une sensation d'échec, une impossibilité à connaître le bonheur. Le mélancolique se condamne facilement et pense que son cas est désespéré.

La dépression saisonnière

Ce type de dépression apparaît en automne pour disparaître aux premiers jours du printemps. Elle est directement liée à la baisse de luminosité et d'ensoleillement des journées d'hiver. Elle peut également toucher les personnes travaillant de nuit ou au sein d'endroits déconnectés ou privés de toute lumière naturelle. Les symptômes sont clairs :

- fatigue – humeur dépressive
- augmentation de l'appétit
- envie irrésistible d'hydrates de carbone et de féculents
- prise de poids
- augmentation des heures de sommeil
- désir de s'isoler
- perte d'intérêt, difficulté à se fixer des défis ou échéances.

La dépression dans le cas d'une psychose de type maniaco-dépressif

Alternance d'états euphoriques (accès maniaques) suivis d'accès mélancoliques aigus. Ceux-ci sans explication cohérente.

Quels sont les signaux d'alarme ?

Signes révélateurs

1. Le dépressif montre un désintérêt total pour toute personne (même pour son conjoint, ses enfants) et toute activité. On note aussi une absence de plaisir dans ses relations, sa vie privée, ses passe-temps préférés. Toute tâche, même banale, demande un véritable effort. Les capacités de concentration, de mémorisation ou d'action sont altérées.

2. Le sommeil est très perturbé, qu'il s'agisse des réveils nocturnes ou des cauchemars à répétition persistant plus d'un mois et ce d'une manière soutenue.

3. Une fatigue constante s'installe dès le saut du lit. Aborder la journée paraît « mortel » voire quasi impossible.

4. On remarque également une augmentation de l'anxiété. Le dépressif est inondé de crises d'angoisse ou de crises de panique, ou encore noyé dans les larmes. Celles-ci sont incontrôlables.

5. Des troubles de l'humeur s'accompagnent de maux physiques. Il somatise à l'extrême. Sa douleur psychique trouve enfin un « lieu » pour s'exprimer. Ses douleurs deviennent réelles. Il peut même être certain de souffrir de carences ou d'un mal quelconque. Il est tout simplement victime d'une hypocondrie classique qui masque bien une dépression.

6. Le dépressif se sent en permanence coupable, honteux. Ce sentiment est accompagné d'une douleur morale modérée à forte. Il se dévalorise.

7. Il ou elle subit des idées morbides (suicides).

Quels sont les symptômes d'une dépression ?

L'anxiété

Maximale au réveil, elle tend à diminuer au cours des heures de la journée. Le soir paraît être plus agréable.

Les troubles du comportement

– Dévalorisation, passivité, mise en retrait, mise à distance
– ou agressivité, irritabilité, colères, crises d'hystérie, violence.

Les troubles sexuels

Perte de la libido.

Le sommeil

– Difficultés d'endormissement ou insomnies caractérisées par des réveils nocturnes fréquents de nature anxieuse
– hypersomnie
– ou combinaison des deux.

Troubles divers

Somatisation accrue, hypocondrie.

Lassitude

Sensation de fatigue et de lassitude constante, continue et sans raison apparente.

Résumé du diagnostic de la dépression

(À condition qu'une notion de durée et de persistance soit respectée . au minimum un mois.)

1. Humeur dépressive
2. Diminution marquée de l'intérêt ou du plaisir dans la plupart des activités
3. Perte ou gain de poids de plus de 5 % en un mois
4. Insomnie ou hypersomnie
5. Agitation ou ralentissement
6. Fatigue ou perte d'énergie
7. Sentiment d'indignité ou de culpabilité excessive ou inappropriée
8. Diminution des aptitudes à penser ou à se concentrer ou indécision
9. Pensées récurrentes de la mort ou idées suicidaires
10. Perte d'initiative, lenteur, fatigue
11. Notion d'effort pour toute action banale
12. Faiblesse d'élocution, inhibition, ralentissement intellectuel, attention difficile et mémoire opaque

En dépression, pourquoi dormons-nous si mal ?

Comme la conscience, le sommeil est un processus actif du système nerveux. Plus nous sommes stressés, tendus, déprimés, anxieux ou perturbés, plus notre horloge interne se dérègle. Lorsque le soir tombe et que nous nous couchons, les yeux envoient indirectement des messages à notre « montre physiologique » située au plus profond de notre cerveau, là où se situe la glande pinéale. Cette glande est vouée à réguler notre métabolisme. Elle libère alors une hormone appelée la mélatonine, hormone incitant à notre endormissement. La mélatonine entre en contact avec les cellules cérébrales qui utilisent, elles, une autre substance, la sérotonine, notre hormone de bien-être. Cette sérotonine est un médiateur chimique lié au sommeil. Si cette substance tend à manquer, ce qui est le cas pour la majorité des dépressifs, notre métabolisme et notre sommeil sont fortement déréglés. Ce qui engendre une difficulté à l'endormissement, puis des stades de sommeil profond et de sommeil paradoxal ponctués de réveils nocturnes. Or c'est dans le sommeil profond qu'est libérée une autre hormone capitale, l'hormone de croissance. Celle qui régénère et répare les neurones endommagés de la veille. Un vrai cercle vicieux.

Évaluer votre état

La vie est à monter et non pas à descendre.
Émile Verhaeren

Test d'évaluation de la dépression

Ce test est extrêmement fiable. Il s'agit de l'inventaire de dépression de Beck ou IDB. Ce test permet de confirmer ou d'infirmer si vous flirtez avec la dépression ou si vous êtes en dépression. Simple questionnaire, cerclez vos réponses puis procédez au total de vos points.

A
0. Je ne me sens pas triste.
1. Je me sens triste.
2. Je me sens perpétuellement triste et je n'arrive pas à m'en sortir.
3. Je suis si triste ou si découragé(e) que je ne peux plus le supporter.

B
0. Je ne me sens pas particulièrement découragé(e) en pensant à l'avenir.
1. Je me sens découragé(e) en pensant à l'avenir.
2. Il me semble que je n'ai rien à attendre de l'avenir.
3. L'avenir est sans espoir et rien ne s'arrangera.

C
0. Je n'ai pas l'impression d'être un(e) raté(e).
1. Je crois avoir connu plus d'échecs que la plupart des gens.

2. Lorsque je pense à ma vie passée, je ne vois que des échecs.

3. Je suis un(e) raté(e).

D

0. Je tire autant de satisfaction de ma vie qu'autrefois.

1. Je ne jouis pas de la vie comme autrefois.

2. Je ne tire plus vraiment de satisfactions de la vie.

3. Tout m'ennuie, rien ne me satisfait.

E

0. Je ne me sens pas particulièrement coupable.

1. Je me sens coupable une grande partie du temps.

2. Je me sens vraiment coupable la plupart du temps.

3. Je me sens constamment coupable.

F

0. Je n'ai pas l'impression d'être puni(e).

1. J'ai l'impression d'être parfois puni(e).

2. Je m'attends à être puni(e).

3. Je sens parfaitement que je suis puni(e).

G

0. Je ne me sens pas déçu(e) de moi-même.

1. Je suis déçu(e) par moi-même.

2. Je suis dégoûté(e) par moi-même.

3. Je me hais.

H

0. Je ne crois pas être pire que les autres.

1. Je critique mes propres faiblesses et défauts.

2. Je me blâme constamment.

3. Je suis à blâmer pour tout ce qui arrive de déplaisant.

I

0. Je ne pense jamais à me tuer.

1. Je pense parfois à me tuer mais je ne le ferai jamais.

2. J'aimerais me tuer.

3. Je me tuerais si j'en avais la possibilité.

J

0. Je ne pleure pas plus que d'habitude.
1. Je pleure plus qu'autrefois.
2. Je pleure constamment.
3. Autrefois, je pouvais pleurer, mais je n'en suis même plus capable aujourd'hui.

K

0. Je ne suis pas plus irritable qu'autrefois.
1. Je suis légèrement plus irritable que d'habitude.
2. Je me sens agacé(e) et irrité(e) une bonne partie du temps.
3. Je suis constamment irrité(e) ces temps-ci.

L

0. Je n'ai pas perdu mon intérêt pour les autres.
1. Je m'intéresse moins aux gens qu'autrefois.
2. J'ai perdu la grande partie de mon intérêt pour les autres.
3. Les gens ne m'intéressent plus du tout.

M

0. Je prends mes décisions exactement comme autrefois.
1. Je remets les décisions au lendemain beaucoup plus fréquemment qu'autrefois.
2. J'éprouve de grandes difficultés à prendre des décisions actuellement.
3. Je suis incapable de prendre des décisions.

N

0. Je ne crois pas que mon apparence ait empiré.
1. Je crains d'avoir l'air plus âgé ou moins attrayant.
2. Je crois que mon apparence a subi des changements irréversibles qui me rendent peu attrayant(e).
3. Je crois que je suis laid(e).

O

0. Je travaille aussi bien qu'autrefois.
1. J'ai besoin de fournir un effort supplémentaire pour commencer un travail.

2. Je dois me forcer vraiment très énergiquement pour faire quoi que ce soit.

3. Je suis absolument incapable de travailler.

P

0. Je dors aussi bien que d'habitude.

1. Je ne dors pas aussi bien que d'habitude.

2. Je me réveille une à deux heures plus tôt que d'habitude et j'ai du mal à me rendormir.

3. Je me réveille plusieurs heures plus tôt que d'habitude et je ne parviens pas à me rendormir.

Q

0. Je ne me sens pas plus fatigué(e) que d'habitude.

1. Je me fatigue plus vite qu'autrefois.

2. Un rien me fatigue.

3. Je suis trop fatigué(e) pour faire quoi que ce soit.

R

0. Mon appétit n'a pas changé.

1. Mon appétit n'est pas aussi bon que d'habitude.

2. Mon appétit a beaucoup diminué.

3. Je n'ai plus d'appétit du tout.

S

0. Je ne crois pas avoir maigri ces derniers temps.

1. J'ai maigri de plus de deux kilos.

2. J'ai maigri de plus de quatre kilos.

3. J'ai maigri de plus de sept kilos.

T

0. Ma santé ne m'inquiète pas plus que d'habitude.

1. Certains problèmes physiques me tracassent tels que des douleurs, des maux d'estomac ou de la constipation.

2. Je suis très inquiet(e) à propos de problèmes physiques et il m'est difficile de penser à autre chose.

3. Mes problèmes physiques me tracassent tant que je n'arrive pas à penser à autre chose.

U

0. Je n'ai pas remarqué de changements à propos de ma libido.
1. Je m'intéresse moins aux rapports sexuels qu'autrefois.
2. Je m'intéresse beaucoup moins aux rapports sexuels.
3. J'ai perdu tout intérêt pour les rapports sexuels.

Voici l'interprétation de l'inventaire de dépression de Beck. Vous avez donc encerclé votre réponse pour chaque paragraphe, c'est-à-dire l'un des chiffres allant de 0 à 3.
Vous en faites maintenant le total.

Total obtenu	Degrés de dépression
1 à 10	Hauts et bas considérés comme normaux
11 à 16	Troubles bénins de l'humeur
17 à 20	Cas limite de dépression clinique
21 à 30	Dépression
31 à 40	Dépression grave
Plus de 40	Dépression sévère ou extrême

Commentaire

Si votre total excède 16, vous « flirtez avec une dépression ». Il serait judicieux de consulter et de parler de votre état à un médecin.

Mon échelle de valeur de la dépression
Sur une échelle d'appréciation de 0 à 10

Appréciation de votre douleur morale
(à mettre en place avec votre médecin traitant)

0 correspond — Léthargie forte, inhibition maximale, douleur de vivre intolérable, larmes, angoisses, sentiment de culpabilité, idées suicidaires.

1 correspond — Léthargie, douleur de vivre insupportable, sentiment de culpabilité, larmes, crises d'angoisse, douleurs physiques (somatisation).

2 correspond — Moral à zéro, inhibition, sentiment de culpabilité, larmes, douleur de vivre très intense, refus de tout contact, élocution impossible, anxiété majeure.

3 correspond — Moral très faible, culpabilité moyenne, grandes difficultés d'élocution, larmes, anxiété intense, impossibilité d'effectuer toutes sortes d'actions.

4 correspond — Moral faible, culpabilité faible, anxiété forte, vous vous forcez à tout faire. Vous y arrivez au prix de nombreux efforts.

5 correspond — Moral moyen, aucun sentiment de culpabilité, facilité à l'action, joies et sensation de prendre du plaisir inexistantes (anhédonie).

6 correspond — Moral passable, quelques sensations de joie et de plaisir pointent leur nez mais anxiété encore présente.

7 correspond	Bon moral. Appétence à la vie passable. Action et enthousiasme bons. L'anxiété diminue. Les prises de décisions sont rapides, claires. Vous vous projetez dans l'avenir.
8 correspond	Très bon moral, possibilité de vivre intensément l'instant présent. L'avenir vous semble agréable.
9 correspond	Excellent moral. Très grande énergie physique et psychologique, sensation de paix et d'harmonie intérieure, joie de vivre.
10 correspond	Bonheur : paix, harmonie, énergie. Appétence à la vie formidable, énergie intellectuelle, physique et psychologique au top niveau, joie de vivre intense.

Lors de votre premier entretien médical, remettez à votre médicin vos réponses et résultats au test de Beck, puis évaluez votre état entre 0 à 10.

Courbe comparative mensuelle à établir pour contrôler au mieux votre guérison

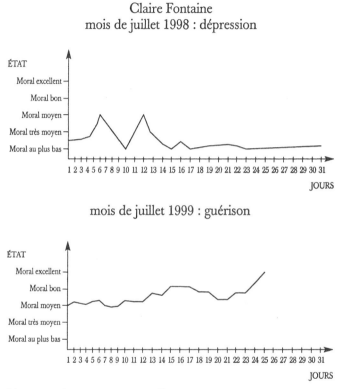

Claire Fontaine
mois de juillet 1998 : dépression

mois de juillet 1999 : guérison

Mon expérience et mon conseil

Utilisez ces méthodes. Outils pratiques et sûrs, ils dévoilent très précisément votre état. Ils vous offrent de plus le moyen de contrôler votre évolution ou votre involution. Votre échange est net, clair et précis. Sans commentaire. Votre visage et votre gestuelle expriment le reste.

121

Échelle des stress
de Holmes et Rahe [1]

Mort d'un conjoint	100
Divorce	73
Séparation d'avec un conjoint	65
Temps passé en prison	63
Mort d'un parent proche	63
Blessure ou maladie	53
Mariage	50
Licenciement	47
Réconciliation avec son conjoint	45
Retraite	45
Ennui de santé d'un parent proche	44
Grossesse	40
Problèmes sexuels	39
Arrivée d'un nouveau membre dans la famille	39
Problèmes d'affaires	39
Modification d'une situation financière	38
Mort d'un ami intime	37
Changement de situation	36
Multiplication des disputes conjugales	35
Hypothèque ou dette de plus de 50 000 F	30
Changement de responsabilités financières	29

1. Psychiatres américains.

Fils ou fille quittant la maison	29
Problèmes avec les beaux-parents	29
Exploit personnel marquant	28
Épouse se mettant à travailler ou s'arrêtant	26
Début ou fin de scolarité	26
Changement de conditions de vie	25
Modification d'habitudes personnelles	24
Difficultés avec un patron	23
Changement d'horaires ou de conditions de travail	20
Déménagement	20
Changement d'école	20
Changement de loisirs	19
Changement religieux	19
Changement d'activités sociales	18
Changement dans les habitudes de sommeil	16
Changement de rythme des réunions de famille	15
Changement des habitudes alimentaires	15
Vacances	13
Noël	12
Amendes ou contraventions	11

Un total de plus de 300 points évoque la possibilité d'une décompensation ou somatisation dans les deux ans à venir. Entre 150 et 300 points et plus, consulter un médecin.

Questionnaire de P. Pichot

CONSTATS	VRAI	FAUX
En ce moment, ma vie me semble vide.		
J'ai du mal à me débarrasser des mauvaises pensées qui me passent par la tête.		
Je suis sans énergie.		
Je me sens bloqué(e) ou empêché(e) de faire quoi que ce soit.		
Je suis déçu(e) et dégoûté(e) par moi-même.		
Je suis obligé(e) de me forcer pour faire quoi que ce soit.		
J'ai du mal à faire des choses que j'avais l'habitude de faire.		
En ce moment, je suis triste.		
J'ai l'esprit moins clair que d'habitude.		
J'aime moins qu'avant les choses qui me plaisaient ou m'intéressaient.		
Ma mémoire me semble moins bonne que d'habitude.		
Je suis sans espoir pour l'avenir.		
En ce moment, je me sens moins heureux(se) que la plupart des gens.		

Toute réponse « vraie » équivaut à 1 point.

Toute note égale ou supérieure à 7 prouve l'existence d'une symptomatologie dépressive.

La dépression selon Hamilton
(Version de 1967 : 25 items.)

Humeur dépressive, sentiment de culpabilité, suicide, insomnie du début de nuit, insomnie au milieu de la nuit, insomnie du matin, ralentissement du travail et des activités, agitation, anxiété psychique, anxiété somatique, symptômes somatiques généraux, symptômes génitaux, hypocondrie, perte de poids selon les dires du malade, perte de poids appréciée par pesée, prise de conscience, variations de la symptomatologie dans la journée, dépersonnalisation et déréalisation, symptômes délirants, symptômes obsessionnels et compulsionnels, sentiment d'impuissance, sentiment d'être sans espoir, sentiment de dévalorisation.

Souffrez-vous de dépression saisonnière ?

(Test mis au point par le docteur Rosenthal et ses collègues au National Institute of Mental Health.)

Changement de comportement					
Entre octobre et mars avez-vous noté un changement sur les points suivants					
	Inexistant	Léger	Modéré	Marqué	Très marqué
1. Durée de sommeil	0	1	2	3	4
2. Activité sociale	0	1	2	3	4
3. Humeur (sensation de bien-être)	0	1	2	3	4
4. Poids	0	1	2	3	4
5. Appétit	0	1	2	3	4
6. Énergie	0	1	2	3	4

De 4 à 7 points :   score normal
De 8 à 10 points :   dépression saisonnière mineure
11 points ou plus :   dépression saisonnière

Souffrez-vous d'une déficience en sérotonine [1] ?
(d'après Michaël J. Norden.)

	oui	non
1. Je suis fréquemment irritable.		
2. Je suis plus impatient ou impulsif que la plupart des gens.		
3. Je grignote souvent ou j'ai de féroces envies de sucreries.		

---

1. L'hormone du « bien-être ».

	oui	non
4. À un moment de ma vie, j'ai eu des envies de suicide.		
5. Je suis porté sur les boissons alcoolisées.		
6. J'ai des problèmes d'insomnies ou je suis un couche-tard.		
7. Je subis souvent des crises d'hypoglycémie.		
8. Depuis l'âge de 18 ans, je me suis battu au moins une fois.		
9. Mon organisme souffre de l'arrivée de l'hiver et/ou de la privation de lumière.		
10. J'ai un parent proche qui est drogué ou alcoolique.		
11. Je supporte mal le stress.		
12. Je transpire moins que la moyenne des gens.		
13. Je supporte mal la chaleur.		
14. J'ai tendance à être trop dépendant de mes proches.		
15. Mes humeurs sont très changeantes.		
16. J'ai déjà souffert de douleurs chroniques pendant plus de trois mois.		
17. J'ai eu davantage de partenaires sexuels que la moyenne de mes pairs.		
18. Je suis très sensible aux critiques ou au rejet.		
19. Je fume des cigarettes.		

Une dizaine d'items positifs doit vous inciter à consulter votre généraliste ou un centre spécialisé. *(Voir le guide pratique, p. 237 : les adresses utiles.)*

Vaincre soi-même la dépression

Lorsqu'une porte du bonheur se ferme,
une autre s'ouvre, mais parfois on observe si longtemps
celle qui est fermée, qu'on ne voit pas
celle qui vient de s'ouvrir.
Hellen Keller

Vaincre signifie l'emporter sur ses concurrents, venir à bout de quelque chose ou de quelqu'un, s'en rendre le maître.
Vaincre induit une lutte, un combat, une mise à terre.
Mais comment vaincre une personne ou une maladie ?
En domptant les tactiques de « son adversaire »,
sa méthode, son allure, ses comportements.
Votre seule chance,
connaître la dépression pour la dominer.
Prendre le pas sur elle.
Apprécier ses pièges et ses astuces, contrôler ses offensives.

Le seul maître, c'est vous, car « même une horloge arrêtée donne l'heure exacte deux fois par jour ! » (Richard Bandler).

Les dix commandements du dépressif

Ne plus se faire de reproches

À quoi bon se bombarder de reproches ? À se guillotiner, c'est tout. De passage sur cette terre, nous n'atteindrons jamais la perfection. Cessons de lutter. De nous tendre comme la corde d'un arc. Sinon explosion assurée. Acceptons-nous. Adaptons-nous. Ne nous flinguons pas. Les mots sont les pires castrateurs. Une expression, vanne ou vacherie peut anéantir un être. Méfions-nous des mots. Mots que nous nous affirmons en silence, la tête penchée, dépressifs sur l'oreiller.

Ne plus critiquer

Critiquer l'autre, c'est se critiquer. Moi, c'est l'autre. Je suis née à Paris, elle est née ailleurs. L'une et l'autre n'avons pas choisi. Je pourrais être à sa place. Elle, à la mienne. Drôle d'injustice. Dénoncer les faiblesses et les manques de l'autre, c'est également dénoncer les siens. Tolérer l'autre et son dysfonctionnement, c'est se tolérer avec son mal-être.

Se donner du temps

Personne ne connaît son « crédit de vie » ! Devant cette énigme, laissons courir. Ne pas se fixer d'échéances. Ne pas vivre dans la semaine suivante est le meilleur moyen d'obtenir des résultats, sans excitation, sans pression. Un jour à la fois. Un effort à la fois. Nous ne sommes pas des robots. Nous vivons avec. Ce n'est déjà pas si mal. Chacun son rythme.

Ne pas regarder en arrière

Bannissons le passé. Les souvenirs ne sont que pertes de temps. Boulets du présent. Rancunes de l'avenir. Vivons ici et maintenant. Jouissons de l'instant. Avançons minute par minute. « Il n'est jamais trop tard pour avoir une enfance heureuse. »

Se complimenter

Chacune de nos prouesses – aller faire des courses, sourire à un passant dans la rue, ressentir une émotion simple –, est un premier pas vers la guérison. Notons le moindre de nos progrès. Apprécier notre évolution est magique.

Pardonner ses faiblesses et celles des autres

Nous ne sommes qu'un être humain, les autres aussi. La rancune, la colère amènent la maladie, le cancer. La vie est trop courte pour se mettre de tels boulets aux pieds. Essayons de nous mettre à la place de celui ou celle qui nous a atteint. Prenons en compte son éducation, sa famille, son mode de vie, ses repères, ses relations. Comprenons son parcours pour comprendre son geste. Libérons-nous de cet esprit de vengeance. La vie se charge de ramener l'ordre et de renvoyer l'ascenseur. Passons à autre chose. Conservons cette énergie colossale pour avancer et guérir. Lâchons du lest. Envolons-nous. Prenons de la hauteur. La conscience supérieure.

Se séparer de la colère

Achetons un punching-ball ou un jeu de fléchettes. Éclatons-nous. Expulsons cette énergie crasseuse qui nous encombre.

Stopper le flot négatif de ses pensées

Dès qu'une image négative apparaît sur notre écran mental, chassons-la. Remplaçons-la immédiatement par une positive. Obligeons-nous. C'est un travail de digue. La mer doit être catalysée, contenue. Nous ne devons pas nous laisser submerger, au risque de provoquer d'autres dégâts. Pénible au départ, cet exercice de positivité doit devenir un automatisme.

Détruire sa peur

La peur n'est soutenue par rien de tangible. C'est totalement illogique. Appréhender une situation, un événement à l'avance, c'est se remettre aux mains de la peur. Celle qui attaque nos traits, notre cœur, notre corps, notre adrénaline. « La peur n'évite pas le danger. » La peur ne sert à rien, ni à personne. C'est notre plus grand piège. Faisons confiance.

Penser que vivre ne rime pas avec souffrance

Nous ne sommes pas sur cette terre pour souffrir. Vivre, jouir, profiter, goûter, sentir, aimer... Oui ! Refusons d'imaginer que l'on porte tous notre croix.

Les étapes nécessaires

Renoncer à consommer, favoriser l'esprit

Observez ces ados ou préados ne se sentant exister qu'en affichant telle ou telle marque. Nous leur avons inculqué que le bonheur, c'était d'être en mesure de consommer. Que l'extase et la joie d'être consiste à acheter et à posséder toujours mieux et plus. Voici nos enfants, élevés aux édulcorants, à l'individualisme (seul devant l'ordinateur), au portefeuille bien garni comme seul repère ! Le dialogue, n'en parlons pas. Ils s'enverront plutôt des e-mails.

Un jour, j'ai ouvert mon armoire. J'y ai vu le nombre incalculable de chaussures et de vêtements que je ne mettais pas, qui ne me servaient à rien. Étais-je plus heureuse ? Non, j'étais en pleine dépression. Résultat, j'ai tout donné, conservant seulement l'indispensable. Ma personnalité s'est-elle détériorée ? Non, au contraire, j'ai appris à me détacher du matériel. J'ai constaté que le bonheur ne se situe pas dans la consommation mais dans l'amélioration de mon être spirituel. Nous savons que, de tout temps, l'homme a eu besoin de codes pour reconnaître les siens : le camp des « Nike » n'est pas celui des « Reebok », pardi ! Et nous, bien entendu, avons été forcés d'avaler cela ! Nous avons même été gavés comme des oies ! Le jour où nous saurons que la consommation pousse à tous les vices, nous ferons faire un grand pas à l'humanité. Vous allez me dire : « Oui, mais ces sociétés nous font vivre, nous emploient ! » et de vous répondre : « Oui et finalement nous tuent à coups de crédits et de surendettements ! » Rassurez-vous, ces sociétés emploient de moins en moins et vous demandent de consommer toujours plus. Il faut vivre avec son temps, et le temps des années 2000 est voué davantage à la réflexion active et intelligente, du genre : sur quelle planète vivons-nous, est-elle en danger de pollution à cause de nos usines, nos dégâts de toutes parts ? La terre vocifère qu'elle n'en peut plus d'être une poubelle pleine de déchets de toutes sortes. Nous ne l'entendons pas ! Seuls quelques prophètes initiés crient leur détresse à voir nos comportements puérils et matérialistes. Ensemble, nous pouvons modifier nos actes et nos consciences. Pour ma part, cela m'a beaucoup aidée de penser que je pouvais bien vivre, avec moins d'argent. Quand c'est l'enfer dans sa tête, c'est l'enfer sur une plage de Polynésie, comme c'est l'enfer à Sarcelles. Le paradis, c'est d'être bien dans sa peau. Lorsque l'on a vécu une sombre dépression, ces mots ont un prix.

Renoncer à la notion de performance

Votre valeur n'est pas proportionnelle à ce que vous réussissez dans votre vie. Chaque personne est unique et possède une valeur exclusive. Votre réussite professionnelle ou financière n'est pas le reflet de votre personnalité. Ne vous jugez plus. Cessez de vous comparer. Telle personne réussit peut-être sa vie professionnelle alors que sa vie privée est un désastre. Qu'en savez-vous ? La route est longue et sinueuse. La roue tourne heureusement. Quel ennui ce serait si nous avions toutes et tous le même biorythme ! Aujourd'hui, vous êtes au rez-de-chaussée, demain, vous serez remonté aux étages supérieurs de la vie. La dépression permet de mieux cerner ses envies. Renaître à soi-même. C'est un peu le couvercle qui saute, laissant deviner votre nature profonde. À vous maintenant de vous écouter véritablement, non pas par rapport à telle échelle de réussite fixée par les magazines « people » mais par votre échelle à vous, celle que vous mettez en place. Nous avons chacun notre histoire, nos défis. Ce n'est pas parce que nous ne passons ni à la télévision, ni dans les journaux que nous n'avons pas une inestimable valeur et un mérite incontesté. Apprendre à s'aimer prend beaucoup de temps. C'est pourtant la seule chose réellement nécessaire. Persuadez-vous que vous êtes incomparable, car vous l'êtes.

Renoncer à maîtriser le temps

Savez-vous qu'un être humain passe environ une vingtaine d'années à dormir ! Cela vous effraie, moi aussi. Faut-il pour autant continuer à courir ? Je suppose qu'en agissant ainsi, nous pouvons effectivement réaliser un grand nombre de choses, mais sans doute aucune d'elles ne sera bien faite. Cessons donc de nous accrocher à notre montre. Apprenons la paresse. Le temps à se détendre n'est pas un temps inutile et perdu. Au contraire, à la sortie de ces pauses nécessaires, nous sentons ce qui est bon pour nous. Écoutons notre

131

instinct, notre propre désir. Personne ne peut prétendre à la sagesse s'il est entouré de bruit et de fureur. Personne ne nous a appris à nous écouter. Le silence fait peur.

Renoncer à la perfection

Nous vivons dans un monde où les mots « Amour, Gloire et Beauté » riment immanquablement avec le mot Bonheur. Ce discours nous est asséné à longueur de journée, à longueur d'année. Pour y échapper, il faudrait vivre reclus, ne jamais lire un magazine, allumer la radio, ni regarder la télévision. Même de la sorte, nos amis se feraient un malin plaisir de nous informer des dernières tendances et de schématiser une fois de plus le profil du bonheur. Au secours ! Nous sommes donc tous faits sur le même moule ? Je revendique mon droit à la différence. Je proclame que les diktats de beauté véhiculés par les magazines, les médias et les annonceurs sont insupportables. Ils nous amènent à traquer la ride qui ne se voit pas encore. Conséquence, à la moindre imperfection, nous nous sentons parfaitement nul(le)s. Un monde de paraître et non « d'êtres en chair et en os ». Il faudrait leur apprendre que les mannequins ne constituent pas l'ensemble de la population. Je ne parle même pas du troisième ou du quatrième âge (30 % de la population), qui ne sont ni représentés ni courtisés. C'est pourtant un sacré business. Non, répondent les médias, c'est résolument une société jeune, dynamique et robotisée qui compte bien s'imposer coûte que coûte ! Quand on pense qu'à cinquante ans, une femme se sent déjà vieille et moche. Elle ne pense qu'à une chose : se faire lifter. Elle sera soi-disant davantage aimée et surtout réussira tout ce qu'elle entreprendra. Il faut donc nous accepter tels que nous sommes, avec nos défauts, nos qualités et la richesse de notre différence. Ne plus se référer à des modèles virtuels. C'est ce qu'offre la dépression : un temps, une parenthèse, un passage entre guillemets. Comme si, en définitive, grâce ou à cause de cette souffrance, nous prenions enfin le temps d'intégrer ce qui passe en nous et autour de nous.

Oui, vous n'êtes pas parfait et tant mieux. Vous faites ce que vous pouvez avec ce que vous avez ! Nous aussi. Réussir sa vie d'homme, de père, d'amant, de collaborateur est un message farceur de ces dernières décennies. Aujourd'hui, ce message inquisiteur et tyrannique est en passe d'être piétiné au profit des trente-cinq heures avec le message : « Réussissez votre temps libre ! » Néanmoins, on peut considérer que ces vingt dernières années ont laissé flétrir des êtres totalement culpabilisés s'ils n'avaient pas dans leur jeu de cartes non pas la paire mais le tiercé complet ! C'est-à-dire bien mariés, un travail épanouissant, des enfants en pleine santé, des amis merveilleux, une mine bronzée, un air joyeux et résolument moderne ! À force de se fixer des idéaux inatteignables, nous tombons parfois en dépression, une « dépression réactionnelle à l'environnement ». La pression des uns et des autres est suffisamment forte pour démontrer à quel point nous sommes naïfs dans un grand nombre de domaines. Pour sortir de « cet état de mouton », j'ai résolument entrepris de couper le son des messages de pubs à caractère impératif. Je n'achète plus que des magazines intelligents et non dogmatiques. Je ne regarde que des émissions ciblées qui me laissent envisager que je suis normale. J'ouvre grand mes yeux sur les nombreux reportages concernant l'espèce humaine. Ainsi je relativise. Je m'aperçois qu'assise bien agréablement dans mon canapé, la zappeuse fébrilement serrée, je ne suis pas si mal... Même sous antidépresseurs.

Le pouvoir de la volonté

L'aptitude à vouloir de façon continue et ferme améliore la lucidité d'esprit. Tout comme l'exercice physique, l'exercice mental rend possible une augmentation des énergies positives. C'est du mental que le corps reçoit les impulsions nécessaires. Si cette volonté est dynamisante et vivifiante, elle opère de nombreux changements concrets.

Pour opérer ce changement : acquérir une forte volonté, il faut tout d'abord apprendre à canaliser votre énergie. Énergie réparatrice qui s'avérera opérante au service de la volonté. C'est pourquoi, à partir de maintenant, apprenez à contrôler les points suivants :

– l'expansivité : contrôlez votre débit de parole. Ne discutez pas inutilement. Conservez votre calme. Ne vous dispersez pas sur des sujets de la vie quotidienne qui n'ont aucun intérêt : le temps qu'il fait, les aléas de votre voisin... Apprenez à écouter et ainsi nourrissez-vous de l'énergie des autres ;

– l'emportement : apprenez à dominer vos mouvements d'impatience. Tâchez de ne pas paniquer. Gardez un sang-froid total même si la situation vous paraît explosive. Ne vous impliquez pas. L'exercice de l'impassibilité concourt fortement à développer votre volonté ;

– pour renforcer cette volonté, vous devez également combattre les voleurs d'énergie, à commencer par les aliments qui fatiguent votre organisme : alcools, vins, liqueurs, gibiers, viandes grasses, fritures, cervelles, charcuteries, tripes, abats, fromages fermentés, graisse sous toutes ses formes, conserves en boîte, pâtisseries, sucreries, confitures, chocolat. Au contraire, foncez sur les aliments vecteurs d'énergie : crudités, légumes vapeur, volailles et poissons, salades, fruits, herbes (persil, ciboulette...) ;

– supprimez le café et la cigarette ;

– de même, l'exercice physique, même pratiqué en chambre, renforce votre volonté. À base d'étirements et de gestes souples, il vous aide à reconstruire une petite motivation et à retrouver une vitalité. Les endomorphines (hormones de plaisir) sécrétées par votre corps pendant l'effort contribuent à jouer le même effet qu'un antidépresseur. C'est pourquoi les sportifs deviennent vite accros ;

– sachez vous endormir. Les minutes qui précèdent l'endormissement sont essentielles à la bonne régénération nerveuse de votre capital. Endormez-vous avec des images de vous-même extrêmement positives. Forcez-vous à vous projeter dans cet imaginaire. Prenez-y du plaisir ;

– votre réveil : moment crucial de la journée. Prise de température de votre moral. Ces secondes sont capitales. Imprimez alors dans votre esprit une affirmation positive. Tentez d'y croire de toutes vos forces. Exemple : « Aujourd'hui, j'irai un peu mieux. » Puis attrapez un livre de méditations quotidiennes et imprégnez-vous de la méditation du jour. Tentez de démarrer votre journée avec au moins un objectif réalisable et positif ;

– de même, tentez de dominer vos émotions, par la respiration. Faites gonfler votre abdomen au maximum puis expirez doucement ;

– habituez-vous à résister à une tentation. Exemple : forcez-vous à ne pas vous assoupir en dehors des heures de sieste. Tenez le plus longtemps possible. Tâchez de récupérer un rythme veille-sommeil normal (même en arrêt maladie) ;

– ne pensez pas aux difficultés de vos traitements. Ne ressassez pas vos chutes de moral. Remémorez-vous constamment que votre seul objectif est de guérir. Refusez de croire ou même de penser le contraire. Vous connaîtrez à coup sûr le succès à plus ou moins court terme. Chaque petit effort vous confortera dans ce sens. Ces éléments de satisfaction feront croître encore votre volonté et par là même votre pouvoir ;

– méfiez-vous des images « spectacle » suscitant des émotions, elles sont de puissants voleurs de votre énergie vitale. Avez-vous vu le visage hébété des « télévores-téléphages » ? Ils sont absolument absorbés par ce carré d'écran couleur. Statiques. Idiots. Immobiles et asservis. Une vraie destruction de leur « moi » profond. En outre, les films ou autres clips suscitent de multiples états d'âme. Lesquels sont à même d'ôter le peu d'énergie qu'il vous reste. Choisissez donc vos programmes avec minutie. Soyez vigilant. Même si vous vous sentez capable consciemment, vous ne l'êtes pas inconsciemment.

Voici une réflexion du penseur-chercheur monsieur Turnbull qui mérite toute votre attention : « Le désir sous toutes ses formes est un courant mental chargé de puissance, cette même puissance précisément que l'homme magnétique exerce sur son prochain. Quand je dis courant mental, je parle littéralement, je ne me sers pas seulement d'une métaphore. Lorsque vous cédez au désir, vous gaspillez de la force et vous diminuez par conséquent votre puissance d'attraction. Les forces du désir se manifestent sous un grand nombre de courants mentaux, tels que l'impatience, la colère, les larmes, le laisser-aller ou la vanité. Ce dernier courant est de tous peut-être celui qui affaiblit le plus. La façon de procéder est la suivante : aussitôt que vous sentez un courant de désir, refusez de le satisfaire. Par cet effort conscient de votre volonté, vous vous isolez d'une décharge affaiblissante. »

Personne n'est incapable d'un pareil effort, même en dépression sévère. La volonté est une arme de guérison, majeure et catégorique.

L'intention, le désir, la volonté de modifier votre destin, votre situation actuelle peuvent, s'ils font l'objet de longues méditations, paisibles, répétées et attentives, transformer en puissance les profondeurs de votre personnalité.

Vous n'atteindrez pas votre objectif en un jour. Il vous faut user de calme, de patience, de persévérance, d'assurance de réussite. Fixez-vous des paliers. Attribuez à chacun d'eux un certain nombre d'efforts. Ainsi vous évoluez pas à pas vers la guérison absolue. Ne pensez pas aux obstacles, aux échecs possibles. Maintenez votre pensée dirigée uniquement vers la concrétisation de votre réussite, de votre guérison totale. Pour alimenter la confiance en vous, vous ne devez compter que sur vous seul(e). De vous dépend exclusivement votre avenir, et non de votre médecin. Le traitement aide et soigne, mais le vrai médecin est en vous, c'est lui qui vous guérira définitivement et durablement.

Celle ou celui qui subit passivement les assauts de la maladie, s'en remettant au destin, sans avoir la certitude de retrouver des jours meilleurs, ne peut s'attendre à une amélioration. Il ne sert à rien de se crisper, de s'énerver, de s'impatienter, de ruer dans les brancards au risque de ruiner le peu d'énergie qu'il vous reste. Il faut vous imposer le calme, la quiétude, la maîtrise, la confiance en vous. Vous entourer de personnes qui croient fermement et résolument à votre guérison prochaine. En effet, leur influence serait néfaste s'ils n'axaient pas leurs pensées dans la même direction que vous. À vous de les convaincre qu'une force de volonté multipliée par le nombre de personnes désireuses de guérison augmente la rapidité du résultat. À vous de jouer.

Visez haut. Faites le vœu d'atteindre la situation de santé parfaite.

La pensée agit sur l'organisme comme aucun autre remède. C'est le médicament par essence. J'entends ici une pensée tenace de guérison.

Hector Durville, chercheur atteint d'une grave maladie, prouva à toute la science le pouvoir de la volonté : « Ma pensée était exclusivement orientée vers la guérison... Avec la plus grande confiance dans le résultat que j'attendais. Je pratiquais la respiration profonde dans la mesure du possible. En appliquant mes mains sur la tête, je

136

me disais mentalement ou à mi-voix : j'appelle à mon secours toutes les forces de la nature nécessaires à la guérison. J'absorbe les forces curatives pour les ajouter aux miennes. »

Ce processus mena infailliblement à sa guérison complète, à la stupéfaction de tous, médecins et amis. Le défi de la volonté de guérir avait atteint son but. Durville indiquait à ses chercheurs « de parler à leurs organes », plusieurs fois par jour, surtout les minutes précédant l'endormissement, ou durant la nuit et les insomnies. Dans cet état de calme apparent, parler à ses organes, ses cellules, à l'ensemble de son organisme, comme l'on parlerait à une personne familière.

La volonté est alors aussi puissante que la magie, définie comme art supposé accomplir des prodiges, contrairement aux lois de la nature.

Pomponace (1462-1525) propose une thèse identique : « L'âme opère et commande en modifiant le corps au moyen d'émissions fluidiques qui ont la propriété d'agir incroyablement. L'âme exerce son empire par la transmission de certaines vapeurs subtiles. »

Cela étant dit, le principal est de conserver impérativement secrets vos méthodes de guérison, votre savoir et vos résolutions. N'en parlez à personne. On pourrait vous traiter de fou ou vous ajouter quelques comprimés. Si vous exposez une minuscule partie de votre système de guérison, vous laissez s'évaporer les trois quarts de cette énergie. Elle doit restée concentrée : 100 % active.

Tous ces principes ne sont pas commodes à appliquer. Ils demandent endurance et obstination. Les résultats sont parfois tardifs. Insistez et ne vous démoralisez pas.

La puissance d'action de l'autosuggestion

Suggérer. Donner l'intention de. Proposer. Soumettre à son corps de se plier aux volontés de notre cerveau. De notre mental déficient, de notre moral en chaussettes. En dépression, cette méthode prend toute sa dimension. Surnaturelle. Le désir de volonté enclenché, l'impulsion reste à mettre en place. Vous donner un ordre réel. Concret. Vous inciter à exécuter quelque chose. Vaste programme. Le cerveau est-il si bête ? Oui... Soufflez-lui à l'oreille : « Avance la jambe droite, il s'exécute. » Vous ne pensez jamais à ces automatismes, ce sont pourtant les mêmes ordres inconscients qui dirigent l'ensemble de notre corps. Ces intentions qui vous détruisent à petit feu ou qui vous préservent jusqu'à cent vingt ans. La santé n'est donc pas un dû. C'est un travail fastidieux. Travail de l'esprit sur la matière corps. Étudiée actuellement en anesthésie ambulatoire, l'auto-suggestion fait preuve d'une efficacité hors pair. Mais quel est donc ce pouvoir ?

Le rôle de la suggestion commence dès la prime enfance. Essentiellement entretenues par nos parents, toutes pensées maintes fois répétées finissent par s'imposer à nous. Nous sommes alors façonnés à notre insu par les codes et principes parentaux. Nous n'en prenons conscience qu'à l'adolescence. Néanmoins, les vraies transformations de notre personnalité se cristallisent bien des années plus tard. À l'âge adulte. L'âge où l'on se débarrasse finalement de toutes ces suggestions parentales qui ne nous appartiennent pas. Lorsque l'on a enfin créé, comme le Petit Poucet, notre chemin, pierre par pierre. Notre chemin de convictions. Un schéma de vie qui se développe, sous aucune emprise.

Une fois ce décrassage mené à bien, il reste à nous autosuggestionner de manière positive et constructive. Nous voici au cœur du problème. Cette fois-ci, nous ne pouvons plus dire que nous n'avons pas toutes les cartes en main. C'est là que tout bascule. D'un côté ou de l'autre. Avez-vous remarqué qu'il suffit que vous pensiez : « Je vais tomber » pour que cela se produise immanquablement. En fait, nous nous autosuggestionnons constamment. Vous allumez une énième cigarette en lançant avec un brin d'humour : « De toute façon, il faut bien mourir de quelque chose. » Consciemment, vous imbriquez dans votre esprit une image de maladie, de fatalité. Vous pensez maîtriser votre pouvoir. C'est faux. Vous subissez les assauts de ces autosuggestions sournoises et inconscientes.

Nous avons tous notre vocabulaire personnel, formaté selon notre éducation, notre milieu socioprofessionnel, nos relations. La liberté de penser et de s'autosuggestionner est déjà étriquée. Suite aux études d'Émile Coué, il s'est avéré que le fait de « se croire capable de » facilitait en toute chose le succès et la santé, tandis que la conviction inverse l'altérait considérablement. Pour les maladies, la peur joue également un rôle majeur. La pensée s'obsède d'une image de possibilité de désordre organique et crée fréquemment ce désordre.

Si l'on admet cette hypothèse – l'esprit commande au corps –, alors nous supposons que l'on crée sa santé. Que l'on se détruit, ou l'inverse. Mon dieu, quelle horreur ! C'est pourtant la réalité.

Lorsque je me trouvais au fin fond du gouffre, je me suis fait la réflexion suivante : « Si tu as créé cet état d'anéantissement, alors tu peux créer le schéma opposé : le retour à la santé. » Je commençais mon travail de cobaye. Je fus exaucée. Vous avez pu constater maintes fois combien votre état se dégradait en fonction des pensées qui vous harcelaient ou monopolisaient votre esprit. Nos états d'âme influent considérablement sur nos organes. La peur décolore le chevreu, diffuse des crampes digestives, se manifeste en tous lieux et en tous genres. Toute pensée funeste ou macabre finit invariablement par se réaliser. Il est par ailleurs acquis en physiologie que la pensée régularise ou perturbe par la voie veineuse l'irrigation sanguine. Nos veines se dilatent ou se contractent selon les impulsions de notre cerveau. Conclusion, l'appréhension d'une maladie redoutée ou l'attente confiante d'une guérison certaine déterminent complètement la sentence. Car même sans idée précisément proclamée vers une région du corps, toute image ou pensée, ardemment contemplée, influe sur l'organisme selon ce qu'elle inclut. L'état mental crée la maladie, le trouble, la lésion. L'ensemble de nos organes est régi par notre inconscient. Sous son influence unique. Celui-ci met en œuvre les réactions nécessaires au rétablissement ou à la dégénérescence.

Nous voici donc aux portes de la réussite. Mettre notre volonté au service de nos pensées. L'inconscient finit toujours par triompher si on ne le dompte pas. À lui de faire surgir ce que l'on désire ardemment.

Abordons maintenant la phase de mise en pratique. Se suggestionner de la meilleure manière possible. Placez-vous dans la pénombre ou l'obscurité. Le meilleur moment se situant avant le coucher. Faites le vide dans votre esprit. Total. Rien ne doit naître sinon un sentiment de paix profonde. Un flottement intense et interne, une sensation de légèreté agréable. Dans cette paix, affirmez mentalement au présent : «Je guéris miraculeusement. Chaque jour, j'ai davantage de force. Je me sens bien. Je suis guéri(e) de ma dépression. Toutes mes peurs retournent au néant. Je suis libre. Je suis heureux(se). Je suis calme et serein(e). Je sais que la vie me réserve d'heureuses surprises. Je m'attends au plus grand des bonheurs, c'est merveilleux. » Visualisez votre état de joie et de bien-être. Restez concentré(e) sur cette image de santé et de plénitude. Votre foi fait des miracles. Pratiquez autant de fois que vous le désirez, en marchant, en déjeunant, en conversant. Bref, à tout instant. Elle doit devenir l'occupation exclusive de votre pensée. La répétition fait en effet la force, le pouvoir et la puissance de l'autosuggestion. Le nombre des séances dépend de la croyance, de la fermeté et de la foi de l'individu en la méthode. D'exceptionnels résultats peuvent voir le jour rapidement tandis que, pour certains, quelques mois sont nécessaires. Rarement au-delà. Ce qu'il faut bien retenir, c'est qu'aucune tentative n'est inutile. En vous suggestionnant, vous déposez dans votre inconscient, sous forme d'idées ou d'images, des réactifs qui engendrent un travail interne dont vous pouvez n'avoir conscience qu'à sa dernière phase.

Pour les personnes alitées, trop faibles pour pratiquer cette méthode, il suffit d'écrire leurs affirmations positives, de les placer sur la table de chevet et de les fixer le plus souvent possible. Les affirmations doivent être écrites au présent, à la première personne du singulier : «Je suis parfaitement en paix. Tout se met en place pour que je parvienne à la guérison. Je sais que tout est pour le mieux dans le meilleur des mondes. » L'intérêt de la suggestion est d'obtenir plus d'emprise sur soi-même.

Je suis sortie de ma dépression grâce à cette technique et mon antidépresseur. Mon médicament, sans la suggestion, ne suffisait pas. J'ai essayé les deux. Mon inconscient a enfin obéi. Celui-ci, régulateur de notre vie végétative, réagit immédiatement sur notre croyance de façon bienfaisante ou néfaste, selon le choix de nos pensées répétées.

Redouter les pires malheurs, c'est se prédisposer, se suggestionner négativement et s'infliger une aggravation de son état. Nous avons notre rôle à jouer : gérer notre capital santé. Le travail d'une vie. L'organisme devrait mourir de vieillesse, c'est tout. Les dérèglements sont dus soit à une mauvaise hygiène de vie, à une hygiène alimentaire chaotique, soit à l'intoxication par l'emploi de différentes substances : cigarettes, médicaments, alcools... Nous devrions consulter notre généraliste, de manière préventive. La tristesse, la méfiance, la crainte, la jalousie, les idées de haine, si elles investissent presque continuellement l'esprit, le désorganisent avec une désolante implacabilité. La colère qui laisse l'inconscient en délire gouvernera toujours fâcheusement, secouant dangereusement et déprimant d'autant plus que dans sa véhémence elle gaspille une énergie considérable. Si l'on ne focalise pas sur le négatif, le corps tend de lui-même vers le retour à l'état normal. La conviction de l'efficacité de cette technique, alliée à la conviction du bien-être apporté par la molécule antidépressive, forme des supports concrets à la volonté de guérir. L'expérience a montré que de simples gouttes d'eau distillée, présentées comme un médicament puissant, induisaient des réactions médicales inconscientes (l'effet placebo).

Le rôle du médecin est aussi une clé majeure de la guérison. Sa persuasion de nous voir guéri(e) mène invariablement au succès Il doit composer son attitude, sa gestuelle et ses paroles avec le soin d'en exclure tout ce qui pourrait causer au patient le doute ou l'angoisse.

En résumé, il ne saurait y avoir de contre-indication à l'emploi de cette méthode : la médecine suggestive. Dans quelque cas que ce soit. Dans les plus désespérés, elle fait vivre plus longtemps. Dans tous les autres, elle améliore. Et, la plupart du temps, elle guérit.

Votre influence

En premier lieu, votre devoir est de prendre conscience de votre influence. Chacun de nous, à tout moment, influe délibérément ou inconsciemment autour de lui par une irradiation dont le champ d'action s'étend à de courtes ou de longues distances. Comme toute entité vivante, on appelle cette force le magnétisme personnel. En dépression, celui-ci se trouve totalement altéré. Il s'agit de lui redonner du pouvoir. Comment rediriger notre rayonnement psychique avec une plus grande efficacité et une plus grande précision ? Car les pensées, même les plus fugitives, la moindre des décisions ou des actions concourent à la formation de l'influence visible et invisible qu'extériorise à tout moment l'individualité. Pensées, paroles ou actions passées ont engendré votre situation actuelle. Pensées, actions et paroles présentes engendrent d'ores et déjà la trame de votre avenir. Il vous faut maintenant maîtriser les composantes de votre influence. Devenir capable d'obtenir de plus en plus largement ce que vous ambitionnez, de réussir dans les projets que vous formez, d'éviter dorénavant, au moins pour l'essentiel, tout ce que vous considérez comme désagréable, pénible ou douloureux.

Certains ont cru devoir situer la source du rayonnement individuel dans le domaine biologique : un corps sain, une forte vitalité, un organisme parfaitement constitué, une circulation active et régulière impliquent certes un magnétisme « animal » puissant. Mais il nous faut admettre que si l'apparence physique, la sociabilité et la finesse psychologique constituent de précieux éléments d'influence personnelle, le relief des traits de caractère influe souvent à lui seul avec une puissance surprenante.

C'est que la source principale du magnétisme personnel procède de la vie intérieure, de la vie psychique, en d'autres termes d'une pensée hardie, précise, bouillonnante et opiniâtre. Intensifier la vigueur psychique, c'est intensifier le magnétisme personnel. Par vigueur psychique, nous entendons principalement l'ardeur et l'acharnement du vouloir.

Ce qu'il faut garder à l'esprit sont les composantes du magnétisme personnel qui se définissent ainsi :

– un élément biologique, l'hygiène du corps (alimentation, sport, rythme de vie) ;

– un élément constitué par l'aspect du visage, la structure personnelle, le regard, l'attitude, le son de la voix, le débit clair et persuasif ;

– un élément invisible d'une importance essentielle qui procède de l'ardeur de la volonté ;

– un élément d'équilibre et d'harmonisation issu de la rectitude et de l'élévation morale (sa propre échelle de valeur morale, son appréciation des notions de bien et de mal).

En résumé, une pensée résolue, précise et persistante influe silencieusement avec plus de puissance que la parole d'un prince de l'éloquence. Un regard paisible derrière lequel existe une volonté inflexible impressionne en profondeur et durablement alors que l'éclair fascinateur de deux yeux étincelants ne laissera qu'une impression éphémère.

Cela dit, par ordre d'importance, nous considérons le calme comme la pierre magistrale sur laquelle l'on doit s'appuyer si l'on veut aboutir à nos objectifs. Le calme influe puissamment sur tous. Lorsque vous répondez avec tranquillité, impassibilité et « force-pensée », aux regards comminatoires, aux paroles sèches, aux critiques ou aux injonctions, vous pouvez être certain(e) que votre attitude impressionne l'autre. Vous influez sur lui dans la mesure même où il constate le caractère inopérant de ses paroles et regards. Le calme de votre expression, la sobriété de vos répliques, l'impassibilité de votre attitude déconcertent votre interlocuteur. Il s'en irrite alors. À lui le rôle ridicule de l'hystérique. Face à de tels énergumènes, pendant vos entretiens, affirmez mentalement que toute possibilité de vous affecter s'évanouit, que devant vous il se trouve face à un bloc de granit contre lequel il s'écorchera avant de l'entamer d'un millième de millimètre.

Ce procédé aura deux effets : il fortifiera votre autocontrôle et votre assurance, et il influera télépsychiquement sur chacun de vos « sujets », atténuant considérablement leur animosité.

Savez-vous que le regard exerce une influence considérable ? Ce ne sont pas principalement les yeux qui comptent, fussent-ils de feu, mais ce qu'il y a derrière l'appareil optique : le cerveau, c'est-à-dire la puissance d'action de votre pensée. Exemple : si quelqu'un cherche à vous influencer, ne détournez pas la tête, mais portez votre propre regard à deux ou trois centimètres au-dessous, au-dessus, à droite ou à gauche de celui de l'autre. L'œil est considéré en effet comme un objet brillant. Toute surface brillante retient l'attention et tend à altérer l'acuité de la conscience psychologique, en d'autres termes du discernement de ceux qui la regardent. L'extrême aboutissement de cela, c'est-à-dire l'hypnose, va jusqu'à la mise en veilleuse, et parfois à l'extinction de l'activité du psychisme supérieur et jusqu'à la subordination de la volonté et des actes du sujet. William-Walter Atkinson [1] vous propose l'exercice suivant afin de prouver ce qui précède : « Choisissez, dans une voiture publique, une personne assise sur la banquette opposée à la vôtre, mais dont la place soit sensiblement à droite ou à gauche de celle qui est directement en face de vous. Affectez, si vous le voulez, de regarder droit devant vous de façon à

1. William-Walter Atkinson, auteur de *La Force-Pensée*.

lui laisser croire que vous ne la voyez point, mais regardez-la obliquement, dirigez vers elle un courant mental aussi intense que possible et dites-vous, avec toute l'énergie dont vous êtes capable, que vous voulez qu'elle regarde dans votre direction. Si l'expérience s'effectue correctement, le résultat se produit : la personne que vous suggestionnez silencieusement ne tarde pas à tourner ses yeux vers vous. Parfois, son regard ne semblera pas s'adresser à votre personne et vous effleurera à peine, mais souvent ce regard sera vif, concentré, aigu, comme si votre sujet se rendait compte de l'influence que vous exercez sur lui. La personne obéissant ainsi à votre ordre mental paraîtra le plus souvent embarrassée, nerveuse, lorsque vos regards se rencontreront. Elle aura le sentiment d'une force dominatrice, de l'étreinte d'une volonté. »

Dans votre phase de reconstruction, il est impératif que vous retrouviez la confiance qui vous a tant fait défaut. Que vous preniez conscience de votre véritable pouvoir.

La phase expérimentale

Voici les questions qui vous aideront à vous réédifier définitivement, en prenant conscience des schémas de votre enfance. À vous de répondre par écrit à ces différentes questions, puis de les analyser précieusement quant à leur pouvoir sur votre vie actuelle. Une fois éludées, il ne vous reste plus qu'à vous débarrasser de ces poids nuisibles à l'accomplissement de votre guérison.

Votre enfant intérieur

Imaginez-vous vers cinq ou six ans, utilisez la main non dominante (la droite pour le gaucher, la gauche pour le droitier) et dessinez-vous de mémoire puis répondez aux questions suivantes :

Qu'est-ce que tu aimes ?
Qu'est-ce que tu n'aimes pas ?
De quoi as-tu peur ?
Comment te sens-tu ?
De quoi as-tu besoin ?
Comment puis-je t'aider (moi, l'adulte) à te sentir en sécurité ?

Comment puis-je te rendre heureux ?

Enfant, que faisiez-vous de votre colère ?

L'exprimiez-vous ou l'étouffiez-vous ?

Quelle méthode employiez-vous pour la refouler ?

Comment venez-vous à bout de votre colère maintenant ?

Reconnaissez-vous un schéma familial ?

À quel membre de votre famille pensez-vous ressembler ?

Aviez-vous le droit d'être en colère ?

Qui s'y opposait, et de quelle façon ?

Est-ce que votre mère était critique ?

Et votre père ?

Que critiquait-elle ?

Que critiquait-il ?

Vous critiquait-elle ?

Pourquoi ?

Votre père portait-il des jugements ?

Comment votre père vous jugeait-il ?

À quelle occasion avez-vous été critiqué pour la première fois ?

Comment se comportaient vos professeurs à votre égard ?

Qu'est-ce que vous auriez aimé dire à votre père et que vous n'avez pas dit ?

Qu'est-ce que vous auriez aimé dire à votre mère, que vous n'avez pas dit ?

Qu'est-ce que vous avez envie de leur pardonner ?

À ce propos, votre mère pardonnait-elle facilement ?

Et votre père ?

Comment votre père prenait-il sa revanche ?

Comment votre mère prenait-elle sa revanche ?

Comment, vous, vous vengiez-vous ?

Vous et vos parents

Faites la liste des maladies de votre mère.

La liste des maladies de votre père.

La liste de vos maladies.

Faites le rapprochement.

De quoi vous souvenez-vous en ce qui concerne les maladies que vous avez eues pendant votre enfance ?

Qu'avez-vous appris de vos parents à propos de la maladie ?

Qu'avez-vous apprécié, lorsque vous étiez malade étant enfant ?

Y a-t-il une croyance à propos de la maladie venue de votre enfance qui vous influence encore aujourd'hui ?

Que faisait votre père de sa colère ?

Que faisait votre mère de sa colère ?

Que faisaient vos frères et sœurs de leur colère ?

Vous et la maladie

Comment pensez-vous vous rendre malade aujourd'hui ?

La manière dont je me rends malade est...

Je tombe malade quand j'essaie d'éviter...

Quand je suis malade, je veux toujours...

Quand j'étais malade, enfant, ma mère toujours...

Quand je suis malade, ma plus grande peur est de...

Est-ce que je mérite une bonne santé ?

Qu'est-ce que je crains le plus ?

Vous et votre travail

Si vous pouviez devenir quelque chose, que seriez-vous ?

Si vous pouviez avoir le travail de votre choix, que serait-ce ?

Qu'aimeriez-vous changer dans votre travail actuel ?

Comment changeriez-vous votre employeur ?

Travaillez-vous dans un environnement agréable ?

À votre travail, à qui avez-vous besoin de pardonner ?

Vous et l'argent

Votre plus grande peur à propos de l'argent est...

Qu'avez-vous appris sur l'argent lorsque vous étiez enfant ?

Que pensaient vos parents à propos de l'argent ?

Dans votre famille, qui gérait les finances ?

Qui « portait la culotte » ?

Comment gérez-vous vos parents maintenant ?

Pensez-vous ressembler à l'un de vos parents ?

Qu'aimeriez-vous changer dans votre comportement face à l'argent ?

Comment vous y prendriez-vous ?

Vous et vos amis

Enfant, comment étaient vos premières amitiés ?
Sur quels critères les choisissiez-vous ?
Vos amis actuels sont-ils choisis sur les mêmes bases ?
Qu'avez-vous appris de vos parents sur l'amitié ?
Avaient-ils beaucoup d'amis ?
Quelle sorte d'amis étaient-ils ?
Quelle sorte d'amis aimeriez-vous avoir aujourd'hui ?
Pourquoi, à votre avis, ne les rencontrez-vous pas ?

Vous et la sexualité

Qu'avez-vous appris de la sexualité ?
Qui vous en a parlé concrètement ?
Est-ce que vos parents vous en ont parlé ?
Était-ce tabou d'en parler, en avaient-ils honte ?
Comment appelaient-ils votre sexe ?
Enfant, avez-vous imaginé vos parents faire l'amour ?
La sexualité fait-elle partie de l'amour ?
Qu'aimeriez-vous changer dans votre comportement sexuel ?

Vous et vous

Qu'est-ce que vous détestez de votre corps ?
Qu'aimeriez-vous changer ?
Pensez-vous que ces changements modifieraient vraiment votre vie ?
Quelles sont vos qualités ?
Quels sont vos défauts ?

Vous et l'amour

Enfant, qu'avez-vous appris sur l'amour ?
Est-ce toujours valable aujourd'hui ?
Votre femme, ou votre compagnon, ressemble-t-il à l'un de vos parents, en quoi ?
Quel type de relation avez-vous eu le plus ?
Êtes-vous le plus souvent le dominant ou le dominé ?
Pensez-vous avoir reproduit les mêmes schémas avec vos différentes relations ?

147

Que devez-vous changer pour vivre harmonieusement en couple ?
En voulez-vous aux hommes et pourquoi ?
En voulez-vous aux femmes et pourquoi ?
Pensez-vous que l'amour est éternel ?

Vous et vos enfants

Avez-vous décidé d'avoir des enfants par pur narcissisme ?
Pensez-vous qu'une fois mis au monde, ils vous appartiennent ?
Avez-vous reproduit le schéma parental ?
Était-ce important pour vous d'avoir des enfants et pourquoi ?
Les laisserez-vous vivre leur vie comme ils l'entendent ?
Que tâcherez-vous de leur inculquer par-dessus tout ?
Pensez-vous être un bon père ou une bonne mère ?
Le regard de votre famille ou belle-famille sur l'éducation de vos enfants est-elle primordiale ?
Vos enfants sont-ils votre prolongement ou des êtres à part entière ?
Vous accrocherez-vous à vos enfants, lorsqu'ils ressentiront le besoin de s'épanouir et de couper le cordon ?

Au cœur de la dépression

Il y a lieu de placer la gloire de survivre
au-dessus de la joie de vivre.

Miguel de Unamuno

La prise de conscience et l'acceptation

La phase la plus délicate est celle qui consiste à admettre que l'on est en dépression. Il est insupportable de penser devenir ce petit être fragile, qui passe son temps à végéter, est un poids pour son entourage. Une loque humaine. Nous résistons souvent à l'idée de nous traiter et il est fréquent que l'on évalue mal le stade de notre maladie. Nous souhaitons par le fait nous persuader que ce n'est qu'une mauvaise passe. Erreur ! Une plaie qui suinte a besoin de soins et d'un pansement c'est-à-dire d'un traitement adéquat. Plus on attend pour consulter, plus on souffre, et notre entourage avec.

Mon conseil

Bravoure, audace, prenez-vous en main. Acceptez le verdict : vous êtes en dépression et ce n'est pas la fin du monde. Vous pensez que tout s'écroule dans votre vie, c'est compréhensible. (C'est en général ce que l'on ressent à la sortie d'un entretien chez le psychiatre lorsqu'il nous confirme que l'on est bel et bien en dépression.) Ne m'imitez pas, ne perdez pas de temps. Lorsque nous souffrons d'une vertèbre, nous nous rendons chez un kiné. Pour le cerveau, c'est un psychiatre ou un médecin psychanalyste.

Qui consulter ?

Première étape : consultez un généraliste. Attention et mise en garde : une dépression peut survenir à partir d'un trouble purement organique. Il est primordial d'éloigner cette possibilité pour recourir ou non à un traitement antidépresseur. Voici la liste des maladies pouvant induire une dépression nerveuse : hypo ou hyperthyroïdie, certaines maladies infectieuses du type mononucléose, hépatite, certaines lésions malignes du type cancer du pancréas ou cancer de l'utérus, les désordres neurologiques : épilepsie, maladie d'Alzheimer, maladie de Parkinson, certaines anémies (manque de fer, calcium...), certains troubles du système immunologique. Procédez à un bilan sanguin et répondez à un questionnaire vaste tentant de mieux vous connaître.

Seconde étape : le bilan en main ne démontrant aucune cause organique, consultez impérativement un spécialiste, c'est-à-dire un psychiatre ou un médecin psychanalyste. Manier les molécules antidépressives demande une forte expérience et de longues années de contact avec ce genre de médicaments. En effet, pour un généraliste, il est très délicat de vous suivre sur ce terrain. Ceux-ci ne reçoivent aucune réelle formation. Seule, la venue des visiteurs médicaux (commerciaux des laboratoires pharmaceutiques) leur permet d'obtenir et d'améliorer une vague connaissance. Ils n'apprécient pas trop ce genre de patients, trop compliqués et trop risqués (suicide). Il n'y a pas de honte à franchir le pas de la porte d'un psychiatre. Vous ne serez pas qualifié de fou ou de je ne sais quoi ! Attention, les psychanalystes, ou analystes, ne sont pas forcément des médecins, pouvant établir une ordonnance (renseignez-vous), et ne sont pas tous remboursés par la Sécurité sociale. Choisissez un psychiatre, ou un psychanalyste, conventionné. Demandez-lui le prix et la durée de sa consultation. Renseignez-vous auprès de votre mutuelle, le cas échéant, sur le montant qui vous est remboursé. Vous ne pouvez pas en plus vous ruiner. Lors de votre première visite, faites part au psychiatre de vos problèmes financiers, si c'est le cas, et demandez-lui éventuellement de baisser provisoirement le tarif de sa consultation. Ils sont assez compréhensifs. Les psychiatres sont chers. Dans l'absolu, il faudrait être en dépression et « friqué ». Il existe toutefois des consultations gratuites dans tous les hôpitaux de France, service Psychiatrie, dans les centres d'hygiène et de santé mentale, ou centres médico-psychologiques, dans tous les départements *(voir guide,* p. 237*)*.

Mon expérience

La catastrophe. Endocrinologue, gastro, gynéco, généraliste, urologue, cardiologue... J'ai consulté une trentaine de médecins. Explosé le budget de la Sécurité sociale. Ma mutuelle m'a virée sans préavis. Mon portefeuille s'est vidé. Ai-je été plus renseignée sur mon cas ? Non. J'étais au stade de la grenouille archidisséquée dont personne ne connaissait plus le mode d'emploi. Terrassant et torturant. S'en remettre à tant de médecins, c'est de la folie pure. C'est malgré tout le parcours du combattant moyen, je veux dire du dépressif moyen qui s'ignore. Chaque spécialiste, engoncé « dans son territoire », occultait le labyrinthe de son confrère. Je ressortais immanquablement avec une ordonnance différente à chaque fois. L'ignominie. Je me suis vite retrouvée au point de départ : paumée ! J'ai fini par accepter l'inacceptable, j'étais peut-être en dépression. Coup de chance, je suis tombée sur un médecin psychanalyste avec qui la connexion s'est produite d'emblée. S'épancher, se confier sans scrupules à un étranger est souvent plus commode, paradoxalement. On ne redoute plus le jugement. Cette personne est hors de notre contexte familial, social ou professionnel.

Mon conseil

Bilan sanguin primordial, pour connaître votre terrain, mais aussi pour savoir quels antidépresseurs vous sont indiqués. Demandez à faire doser vos taux de magnésium, calcium, fer et potassium. Pour ma part, j'étais très carencée. Grâce à un nutrithérapeute, j'ai dû revoir toute mon alimentation pour pallier ces déficits qui concouraient à me rendre encore plus vulnérable. L'énergie arrive avec le carburant ! Des carences sévères peuvent fréquemment vous fatiguer. Les considérer est une première étape.

Puis chercher qui peut vous apporter un soutien psychologique. Première question à se poser. Un homme ou une femme ? À qui préféreriez-vous vous adresser ? Réfléchissez bien, c'est décisif. La résolution prise, vérifiez bien que cette personne soit un médecin. Il ou elle peut être analyste sans avoir suivi tout le cursus médical. Or, dans votre cas, il vous faut une personne capable de vous soigner, de vous délivrer une ordonnance adéquate et de moduler, selon les cas, les doses de vos antidépresseurs et calmants. Psychiatre ou psychanalyste, vous ferez votre choix. Attention cependant à votre porte-monnaie. Pratique-t-il des honoraires libres, c'est-à-dire « à la tête du client » ? Faites le point. Pour ma part, mon psychanalyste était non conventionné-honoraires libres, c'est-à-dire remboursé trois francs par la Sécurité sociale et à peine cent quatre-vingts francs par ma mutuelle, alors que le prix de sa séance était nettement supérieur !

Concernant la mise en place et le suivi de votre traitement, sachez, selon ma propre expérience, que les psychiatres s'intéressent plus à la chimie des médicaments. Ils ne vous prendront pas en charge psychologiquement, quelques exceptions mises à part. Interrogez-les. Je suis tombée sur deux psychiatres qui m'ont considérée comme un tube à essais. Sympathique. « C'est sûr que complètement amorphe, tu n'es plus déprimée. T'es quasiment morte. » C'est ce que l'on appelle une sorte de « camisole chimique ». Les créatifs et les intellectuels sont des gens qui les emmerdent. Mieux vaut un wagon de bestiaux bien dociles, admiratifs de leur science, avalant leurs petites pilules sans la moindre réclamation. De nature rebelle, j'ai cru crever devant un tel cynisme et un tel manque d'humanité. Comme les dermatologues, les psy, naviguent encore à vue... Ils font ce qu'ils peuvent.

Au sortir de votre première séance, faites le point. Comment vous sentez-vous ? Mieux ? Ou plus angoissé ? Pas de tergiversations. Si vous vous sentez légèrement soulagé, c'est pile poil la bonne personne. C'est épidermique. Sinon, appelez le psy en question. Annulez le rendez-vous suivant annonçant que vous ne souhaitez pas engager de thérapie avec lui. Point barre. Ils sont habitués. Il n'y aura pas de problème. Continuez alors votre recherche, jusqu'à trouver la bonne personne.

Avec ou sans soutien psychologique ?

Imaginons que vous êtes un verre. Que voyez-vous ? Une partie de l'intérieur du verre. Imaginez maintenant un être pouvant se déplacer tout autour du verre, voler à sa surface et surtout plonger dans ce verre. Cette personne s'appelle un analyste. Vous seul, resteriez enfermé dans ce verre, sans fin. Peut-être le nettoieriez-vous quelque peu mais vous seriez vite limité. Tendez donc la main. Les psychiatres, psychologues, psychanalystes, psychothérapeutes n'ont qu'un but : soulager votre souffrance et « vous faire vous comprendre ». Grâce à la prise de conscience de vos actes et pensées, vous pourrez opérer les changements nécessaires. Il est vrai que ce chemin d'analyse est parfois périlleux car il fait remonter quelques émotions refoulées. C'est le « deal ». Il faut vider « vos bagages ». Complètement. Pour repartir vers un autre voyage, avec de nouveaux vêtements. Une nouvelle peau. Ne vous méprenez pas. Le soutien psychologique est le chemin obligé de toute guérison. Le refuser est une perte de temps dommageable. Le traitement antidépresseur, en améliorant votre état, peut vous donner l'impression que vous êtes guéri. C'est une illusion. La dépression même réactionnelle à un deuil ou autre choc est toujours une résurgence ou résonance d'un ancien trauma qu'il faudra comprendre, analyser et décortiquer. Le seul moyen de le digérer pour enfin le dépasser.

La psychothérapie, outre son rôle essentiel de soutien, permet de suivre le patient pas à pas, d'éviter les rechutes, d'appréhender les problèmes un à un, de désamorcer les conflits sous-jacents à la dépression et de surveiller la posologie des médicaments attribués. Par ailleurs, elle offre au patient un rôle responsable et avisé. Ce qui lui redonne une valeur importante. Celle d'avoir du pouvoir sur sa vie. D'en prendre conscience. Il paie pour guérir, « il s'en donne les moyens ».

Le modèle de Lang [1] insiste sur le fait que la dépression repose sur trois symptômes : la déformation, la distorsion comportementales,

---

1. Docteur Lang, psychiatre.

affectives et cognitives. La thérapeutique cognitivo-comportementale de Lang tend à modifier les perceptions du sujet dépressif en le poussant à développer des comportements, pensées et sensations positives. Les perceptions comportementales, affectives et cognitives du dépressif sont fortement distordues. Elles sont issues de la production continuelle de pensées négatives du sujet sur lui-même et la vie en général. Les thérapeutes se chargent donc de travailler sur ces trois points. De même, ils renforcent l'image que vous percevez de vous-même. Ils agissent ainsi sur votre sentiment de contrôle des situations et événements. En effet, le sujet déprimé perçoit son ego profondément altéré. Le but de cette méthode est de mettre de nouveau en relief votre capacité à rééprouver du plaisir. Le patient acquiert alors, au fur et à mesure des séances, une sensation de contrôle sur sa vie et son mode de pensée. La personne traitée peut entrevoir la réalité sous un jour nouveau, réaliste et positif. Ces distorsions disparaissent pour laisser place à une véritable objectivité. Cela étant, prudence, commencer une thérapie en phase aiguë de dépression est déconseillé. Prendre le risque de faire renaître certains traumas serait stupide et kamikaze. Laissons donc au traitement le temps d'agir. Puis, une fois celui-ci trouvé et stabilisé (quelques semaines écoulées), laissez-vous encore du temps « pour colmater les brèches ». En effet, cette béquille chimique (l'antidépresseur) est un pansement. Dans l'absolu, il faut soigner votre plaie (la dépression) en profondeur. Cependant, là encore, cela dépend des cas. Le tout : en avoir envie. Certains souhaiteront rapidement avoir recours à une psychothérapie pour s'épancher, vider le trop-plein et se rassurer. D'autres préféreront s'analyser eux-mêmes, à leur rythme. Il n'existe pas de lois ni de recettes établies. De toute évidence, toute personne aurait besoin d'un soutien psychologique dans les périodes délicates de sa vie. Ce n'est pas simplement lié au facteur dépression. Cela dit, plutôt que de se déverser sur un ami, même très chaleureux, recourez préférablement à une méthode analytique, que ce soit la sophrologie, la relaxation, la psychothérapie ou l'analyse. Vous ferez le choix. Vous êtes à même de savoir ce qui vous correspond. Suivez votre intuition, tout en vous renseignant sur la formation et le cursus précis du thérapeute choisi.

Mon expérience

Je vous avouerai que le psychiatre, à mon goût, ressemble plus à un chimiste. Son discours est glacial. Je ne me suis jamais sentie à l'aise avec «ces spécialistes du cerveau». Ils épluchent chacune de vos phrases, histoire de retomber sur leur fameux «DSM4» : livre américain répertoriant les problèmes psy. Non franchement, sans façon. Mais cela n'engage que moi. En revanche, j'apprécie le point de vue du médecin psychanalyste, plus humain, moins détaché.

Toutefois, il se trouve, comme dans tout corps de métier, des psychiatres hautement compétents et humains comme des personnages médiocres, mauvais médecins et vénaux. Je ne suis pas tombée sur les bons. Dommage. Vous pouvez avoir la chance de consulter des psychiatres exceptionnels, à l'écoute et excellents médecins. Je ne fais donc aucune généralisation. Cependant, la fonction de psychanalyste me semble importante dans le traitement de la dépression.

Mon conseil

Sans soutien, s'en sortir est impossible. Foncièrement et définitivement.

La peur du psychiatre ou du psychanalyste

Cette peur est tout à fait banale. Les psychiatres furent reconnus en tant que spécialistes en 1970. Cette spécialité était auparavant incluse dans la neuropsychiatrie. C'est par conséquent encore bien récent. Les psychiatres transportent toujours avec eux les vieux fantômes et les pires maux, à savoir la folie. Si je vais voir un psychiatre, c'est que je suis «dérangé». Que ce soit vos propres considérations ou celles de votre entourage, il vous faudra prendre votre courage à deux mains et franchir le pas de cette porte salvatrice. Dites-vous que des centaines de milliers de personnes dans le monde y ont recours, et elles ne sont pas folles. Elles souffrent tout simplement. Cette souffrance est intolérable. Plus vous patienterez, plus la douleur sera envahissante. Le premier contact n'est pas forcément manifeste. Vous êtes rempli d'appréhensions, d'idées préconçues. L'idée de livrer votre histoire est éprouvant à vivre.

Mon expérience

J'ai longtemps refusé le fait d'être victime de dépression. Je pensais ne pas avoir besoin de psychiatre, pas plus que d'un psychothérapeute. J'ai perdu un an.

Mon conseil

Comment savoir si le transfert peut s'établir ? Le rapport d'intimité et de confiance doit naître immédiatement et sans complexes. Changez de psy autant de fois que nécessaire.

Le feeling avec votre psy

Un psychiatre compétent n'est pas forcément celui qui est bardé de diplômes. C'est en réalité celui avec lequel vous vous sentez en confiance. Remettre sa vie, sans omettre aucun détail, ce n'est pas une mince aventure. Vous avez la nette sensation de vous livrer façon pièces détachées. Ce puzzle sera minutieusement reformé avec l'aide du psychanalyste ou du psychiatre. Considérer et admirer son thérapeute, c'est lui laisser toute liberté de vous soigner.

Mon expérience

La première psychiatre était un archétype. Une femme autoritaire, sèche, assez généraliste, du style : «Je vais lui prescrire la dose habituelle [une dose de cheval d'antidépresseur], j'ai l'habitude, ça va marcher tout seul !» Résultat des courses : elle m'a fait fuir en deux minutes chrono. Simplissime, j'ai refusé catégoriquement son traitement. La semaine suivante, nous étions obligés (en plein week-end) d'appeler SOS Psy. Motif : je faisais une sacrée descente. Vautrée, tétanisée, courbée, endolorie, je passais mon temps à geindre. À m'égosiller que je ne voulais plus vivre dans cet état. D'y songer, j'en ai froid dans le dos. Dans ces conditions, le psy d'urgence m'a prescrit un autre antidépresseur. Comme il se montrait sympathique, j'ai eu envie de lui faire confiance, donc de me donner les moyens de guérir. J'ai compris à cet instant précis que le rapport que nous entretenons avec notre psy est fondamental, voire même essentiel. Le médecin psychanalyste qui m'a réellement aidé à me soigner est un homme génial, qui sourit dès qu'il vous voit, garde son sens de l'humour quoi qu'il arrive et surtout dédramatise chaque situation. C'est vrai que lorsque l'on entre chez lui, qu'on vocifère qu'on est à bout, que si cet état perdure, on va se pendre... Il vaut mieux posséder une bonne tonne d'humour ! Ce désespoir formulé auprès d'un médecin permet la prise en compte de notre douleur. Notre plaie est invisible. Il nous faut alors l'extérioriser avec force, la manifester avec véhémence.

Mon conseil

Préparez vos entretiens : analyses de vos cauchemars, évaluation de votre douleur, passage en revue de vos idées récurrentes. N'hésitez pas à écrire puis à lui lire ce que vous vivez. Lorsque l'on pose sa plume, on se contrôle différemment. Tout doit être exprimé, même et surtout ce qui vous paraît absurde ou niais. Comme un abcès, vous devez vous répandre, vous vider. Pardon pour cette image crue. Vous aurez plusieurs « têtes de pus » à faire sortir. Attendez-vous à plusieurs phases. Certaines seront pénibles et douloureuses à vivre. L'obtention de votre totale guérison passe par ces étapes. Vous remonterez « l'escalier » de la vie, étage par étage. Parfois, vous serez exténué, en d'autres temps en colère, puis triste, assommé et enfin apaisé.

Les questions auxquelles votre psy ne répondra jamais :

Docteur, suis-je vraiment malade ?
Combien de temps cela peut-il durer ?
Suis-je vraiment névrosé(e) ?
Suis-je psychotique ?
Au fait, c'est quoi une psychose maniaco-dépressive ?
Combien d'années d'études avez-vous fait ?
Avez-vous subi une analyse, et combien de temps a-t-elle duré ?
Pensez-vous avoir résolu tous vos problèmes ?
Est-ce que j'ai une tête qui vous revient ?

Quel est le trouble dont je suis atteint(e) ?

Pouvez-vous me l'expliquer clairement, sans omettre aucun détail ?

Est-ce que mon discours vous ennuie ?

Est-ce héréditaire ?

Vous êtes sûr que c'est le bon médicament ?

Cet antidépresseur va agir au bout de combien de jours ?

Quels sont ses effets indésirables ?

Avez-vous un confrère moins cher et plus doué ? C'est pour un(e) ami(e) !

Y a-t-il des risques à subir des électrochocs ? Euh... Je veux dire une sismothérapie ?

Touchez-vous des royalties dans cette clinique ?

Quel est le tarif du patient qui était à côté de moi ?

Au niveau prix, plutôt que de vous payer par séance, est-ce que vous pouvez me faire un forfait ?

Ce médicament est sans danger, n'est-ce pas ?

Y a-t-il accoutumance voire même dépendance ?

Est-ce que j'ai besoin d'un scanner du cerveau ?

Pourquoi suis-je en dépression, docteur ?

Combien de minutes me garderez-vous à chaque séance ?

Quel est le pourcentage de rechute ?

Quel est le pourcentage de vos patients guéris ? Et les autres... ?

Combien de temps durera ma thérapie ?

Quel type de thérapie choisir ?

Chaque thérapeute a suivi une formation. Votre devoir est de connaître les compétences et les connaissances de votre médecin. Quel mode d'analyse souhaite-t-il employer pour vous guérir ? Informez-vous.

L'orientation psychodynamique/analytique

Influencée par la psychanalyse. Aider le patient à prendre conscience de l'influence de ses conflits inconscients. L'aider à s'en dégager.

L'orientation existentielle/humaniste

Aider le patient au présent. Le rendre acteur de sa propre vie. L'accent est porté sur la prise de conscience des comportements du patient. L'aider à les comprendre et à les modifier.

L'orientation behavioriale/cognitive

Aider le patient à changer la forme de ses perceptions. L'aider à se débarrasser de fausses idées, fausses croyances, reçues ou entretenues pendant l'enfance. Le travail consiste à analyser les pensées du patient, ses croyances et valeurs, et à l'orienter vers de nouvelles façons de voir, de créer de nouveaux comportements et de pensées plus adaptées.

L'orientation transpersonnelle

Les thérapeutes tentent de décentrer le patient de son ego, pour l'aider à une émergence de sa spiritualité.

L'orientation systématique/interactionnelle

Cette psychothérapie vise les personnes touchées par des troubles essentiellement familiaux. Elle tend à mettre en relief les interactions du patient avec son entourage. Le but étant de les modifier. Une thérapie familiale peut alors s'opérer.

L'orientation approches corporelles

Approches qui font appel à l'énergie corporelle. Le but : dénouer les nœuds pour faire rejaillir les blessures et traumas refoulés. Retrouver le point d'impact, le déloger. Bioénergie, abandon corporel, yoga participent à ces améliorations.

L'art-thérapie

S'adresse à des patients plutôt inhibés ou frustrés dans leur expression de vie. Par l'art, le patient exprime et expulse alors sa souffrance, ses sentiments, ses peurs et violences. Il se soigne par la prise de conscience de ses fantasmes, idées ou pulsions. De plus, cette thérapie apporte une immense satisfaction du sujet qui peut enfin s'affirmer en toute liberté.

Avec ou sans traitement ?

Il est rare de recourir à un traitement antidépresseur de manière immédiate. Le malade a tendance à masquer sa dépression et la valse des symptômes par l'abus d'alcool, de café, de Coca, de tabac, pour essayer « de relever la barre ». La dépression provoquant une chute considérable de l'énergie physique et psychique, ces coups de fouet peuvent agir quelques semaines, mais guère plus. Sans compter que pendant ce temps le corps se fatigue davantage, car devant répondre à des décharges puissantes liées à l'abus de tous ces excitants. Il n'existe qu'un miracle : un traitement antidépresseur adéquat.

Mon expérience

Toute dépression nerveuse demande un traitement sûr et approprié. Les traitements peuvent être complexes ou simples à trouver. Il est même fréquent de recourir à une combinaison de deux ou trois antidépresseurs de molécules différentes. Nous sommes tous des cas particuliers. Monsieur X pourra guérir très rapidement grâce à telle molécule tandis que Monsieur Y verra son cas empirer avec le même traitement. Ayant dû essayer une dizaine d'antidépresseurs, je peux vous prévenir qu'il faut s'attendre le plus souvent à quelques errements sur le choix de telle ou telle molécule. Le médicament enfin recueilli, la recherche de la dose exacte peut également s'avérer déplaisante. Il faudra vous armer de patience. Tout traitement antidépresseur met au minimum deux à trois semaines pour agir efficacement. Patience, toujours... Si je devais résumer l'appréciation de la dépression et le traitement, son évolution jusqu'à sa guérison, je dirais : « Il faut donner du temps au temps ! » Facile à dire, beaucoup moins facile à vivre lorsque l'on souffre, autant pour soi que pour l'entourage. Vous aurez sans doute l'envie de tout abandonner, c'est-à-dire de changer de traitement. Surtout ne le faites jamais sans avis médical sérieux. Arrêter brutalement un antidépresseur peut s'avérer dramatique ! Accrochez-vous. Le temps de la guérison est ainsi très variable. Il peut s'étendre de quelques semaines, plusieurs mois, à des années. Une bonne nouvelle néanmoins, il n'existe aucune dépression nerveuse qui ne puisse aujourd'hui être soignée. Cette guérison s'obtient par paliers que vous sentirez nettement.

Mon conseil

Le plus pénible : attendre ces fameuses trois semaines avant de juger l'efficacité de l'antidépresseur. Ne vous étonnez pas, parfois, d'aller plus mal en début de traitement. La première semaine, la plupart des antidépresseurs provoquent ce que l'on appelle une levée d'inhibition, ce qui semble être une aggravation de vos symptômes. Toutes ces réactions sont normales. Il est vrai que les thérapeutes ne nous informent pas de ces fluctuations. Eux-mêmes ne savent vérita-blement pas comment nous allons réagir. En conséquence, dans le doute, ils se taisent et attendent de nous voir quinze jours plus tard. Il faudra tenir bon. Cela dit, j'ai une amie qui a été soulagée très rapi-dement par la prise de son premier médicament antidépresseur. Elle est complètement guérie aujourd'hui. Je ne l'ai jamais vue aussi euphorique et en forme !

Devez-vous vous reposer, où, combien de temps ?

Littéralement. Franchement, repos absolu. Pour tout type de dépression, qu'elle soit légère, modérée, ou sévère. (*Se référer au test d'évaluation de Beck pour définir le stade de votre dépression,* p. 114.) Le repos ne peut pas se faire au sein d'une famille avec des enfants plus ou moins turbulents. Il est recommandé de trouver un endroit calme et paisible, à la campagne ou à la mer. Se détacher provisoirement d'une certaine réalité. Prendre de la distance pour faire le point sur sa souffrance. Le temps consacré au repos et ce sans culpabiliser est intime à chacun. Le tout étant de décharger un peu notre entourage, lui aussi épuisé de nous voir souffrir, alangui et alité pendant des semaines. Réellement très exténuant à vivre pour nos proches. Suite à votre « retraite », vous pouvez continuer votre quête intérieure au sein d'une maison de repos, ou de foyers dénommés post-cures. Deux mois de pause sont indispensables à la prise de recul.

Mon expérience

Deux mois d'hospitalisation ont été nécessaires à « mon travail mental ». Travail fastidieux à compléter par un traitement en perfusion. Rapide et indolore, il m'a permis de naviguer dans mon cerveau, boussole en main.

Mon conseil

Une hospitalisation même de courte durée dédramatise la situation. Hospitalisation à prévoir de préférence en clinique. Au sein de patients venant de leur propre gré. (Les hôpitaux publics traitent les cas placés par des tiers ou les cas placés d'office par arrêté préfectoral. Ils traitent aussi bien entendu des placements volontaires !) Cette parenthèse permet d'établir avec les médecins le traitement le plus approprié. Commencer un traitement par perfusion offre un soulagement rapide. De même, les tâtonnements nécessaires à la bonne posologie sont pratiqués sous surveillance médicale : prise de tension, questions sur votre sommeil, point sur votre état de jour en jour, changement de molécule antidépressive, le cas échéant. Comptez environ un mois. Puis envisagez un second mois en maison de repos. Les maisons de repos sont prises en charge par la Sécurité sociale. Elles vous permettront de consolider votre traitement. En outre, durant cette phase de mise en retrait, votre entourage-famille admettra que vous êtes réellement malade. Le dialogue redeviendra paisible.

Ce qu'il faut savoir en cas d'hospitalisation

En tout premier lieu, cette hospitalisation doit être envisagée et planifiée avec votre médecin traitant. Discutez ensemble des diverses cliniques avec qui le praticien collabore sans difficulté. Demandez à voir l'établissement, à l'aide de prospectus. Préférez une clinique éloignée de la ville, pour jouir d'un parc ou de coins de verdure. Les promenades seront nécessaires à votre prompt rétablissement. Puis informez-vous sur les prix de ces cliniques conventionnées. En général ne sont pas pris en charge les frais suivants :

- le forfait journalier comme pour
  tout établissement hospitalier : 70 F par jour
- la télévision dans votre chambre : 28 F par jour
- le téléphone : selon consommation
- la chambre seule : environ 400 F par jour

Ces différents frais peuvent être néanmoins remboursés par votre mutuelle, y compris le forfait journalier. Le téléphone ne sera évidemment pas pris en charge, mais sachez que la plupart de ces institutions tolèrent le téléphone portable. Vous n'aurez donc pas besoin d'une ligne supplémentaire.

En ce qui concerne les repas, ils seront, selon votre choix, servis dans votre chambre ou dans une salle de repas.

Pour la télévision, il existe également une salle TV, mais une vingtaine de personnes doivent s'entendre sur le programme !

Des cabines de téléphone sont également disponibles dans ce genre d'établissement ainsi qu'une « boutique » où vous pourrez acheter café, eaux, cigarettes, bonbons, journaux.

Une consultation dès votre entrée permettra la mise en route de votre traitement. Les médecins combinent la plupart du temps deux molécules antidépressives : plutôt stimulante le matin (pour le retour à la vie) et sédative le soir afin de favoriser des nuits de récupération. Ne vous étonnez pas de ces combinaisons. Peuvent vous être ajoutés quelques calmants, selon l'angoisse ou l'anxiété décelée.

Sachez que les chambres à deux ou trois lits existent aussi en psychiatrie. Renseignez-vous. Les pathologies des autres patients doivent correspondre aux vôtres. Sinon, attention danger. Vous ne serez pas en mesure de supporter les souffrances de vos compagnons.

Si vous souffrez de constipation, ou autres effets secondaires, notez-les absolument tous. Ce petit morceau de papier sera très utile lors de la « visite éclair » du psychiatre de service. Cela lui permettra de moduler les doses prescrites ou de vous ajouter d'autres substances plus adaptées. Vous ressentirez cependant une grande détente, la perfusion rendant somnolent et légèrement anesthésié. Sensation plutôt agréable. Enfin... Vous ne souffrirez plus.

Il est fréquent que vous perdiez légèrement l'appétit lors de la première semaine de traitement. Ne vous inquiétez pas, tout rentrera dans l'ordre les semaines suivantes.

Dernières informations essentielles. N'omettez pas de demander à votre médecin qu'il précise aux infirmiers de l'étage les consignes à respecter en ce qui vous concerne, à savoir :
- vos droits de visite
- vos droits de sortie
- votre droit à l'obtention d'une ligne téléphonique
- votre droit à la télévision.

Puis, dès la deuxième semaine, vous pourrez, avec l'accord de votre médecin, demander une permission de sortie pour le week-end. Cela vous permettra de jauger votre traitement face à votre quotidien retrouvé. Il est souhaitable d'utiliser plusieurs « permissions » afin d'être certain, le jour de votre sortie, de la fiabilité de votre état. En ce qui concerne les visites, les soignants se montrent plutôt réticents. En fait, aucun souci de l'extérieur ne doit venir perturber votre traitement. Ne faites venir que vos proches. Les moins sensibles d'entre eux. En effet, ils croiseront sûrement du regard quelques cas en grande détresse. Ce peut être effrayant. Âmes sensibles, s'abstenir. Mais n'oubliez pas que ce sont des personnes qui souffrent. Comme vous.

Détails : décorez votre chambre. Apportez images, photos, bougies parfumées, plantes ou fleurs. En somme, tout ce qui vous est agréable.

PS : il est étrange de voir la similitude de vocabulaire entre la clinique ou l'hôpital psychiatrique et la prison : permissions, interdictions, portes closes, suspicion des infirmiers et du personnel soignant. Ils se ressemblent par leur notion d'enfermement. La comparaison avec le système carcéral est pénible à supporter. Cela peut renforcer, pour certains, une forme de culpabilité. Mais lorsque l'on vient de son propre gré, les données changent...

Vous et les autres

Les amis de l'heure présente
Ont le naturel du melon ;
Il faut en essayer cinquante
Avant de rencontrer le bon.
Claude Mermet

Devez-vous en parler ?

Ce n'est pas souhaitable. Exception faite de votre conjoint. Pour les autres, il est impératif de ne pas l'exprimer. Absolument et certainement. Versant parents, idem. Silence. Ils sont peut-être la source sous-jacente et inconsciente de vos conflits. Pour vos relations, évidemment, motus et bouche cousue. Restent alors vos amis intimes. S'il vous plaît, ne vous épanchez pas. Leurs réflexions : « Tu es fatiguée, tu vas te reprendre », vous décomposeraient. Vous culpabiliseraient. Vous enterreraient davantage. De même, ils pourraient vous ramener à leur propre mal-être. Vous saouler avec des histoires qui ne vous appartiennent pas et dont vous ne pouvez et ne devez en aucun cas vous encombrer. Conséquence sans fausse note : le mélange de vos pinceaux. Si vous le pouvez, ne l'avouez qu'à une personne, la plus proche de vous. Celle qui vous aime le plus. Celle qui mettra tout en œuvre pour vous sauver de ce mauvais pas.

Pourquoi ne pas en parler ?

Au siècle de la révolution technologique, les humains sont restés très primaires. Première réaction de « l'humain de base » devant une vraie dépression : la peur. Peur de vous fréquenter pardi. Et si vous lui transmettiez votre morosité. Courage, fuyons !... Deuxième réaction, le fait d'en parler vous fera vous sentir encore plus différent. Un sentiment de honte apparaîtra. Vous aurez tendance à disproportionner votre état. Plus on en parle, plus on se sent malade, plus on est malade. Plus on déprime, plus on s'inhibe. Troisième réaction, celui ou celle qui ne comprend rien. En effet, à part quelques petits moments que l'on nomme couramment « cafard », il ou elle, qui n'a jamais connu la dépression, celle qui statufie, celle qui momifie, s'exprimera en ces termes : « Allez, secoue-toi, arrête de te laisser aller ! » Réactions malheureusement fréquentes et très nocives pour le déprimé. Jugement pur et simple. Il ne faut pas leur en vouloir. Cette maladie est encore tabou. Il est rare de se vanter d'avoir eu une dépression ou d'être en dépression. Nous sommes pourtant le deuxième pays au monde le plus consommateur d'antidépresseurs, la bonne blague !

Mon expérience

Pratique et fiable. J'ai résolument adopté la situation du silence et du mensonge. But de la manœuvre, ne pas m'enfermer dans la maladie. Souffrir était déjà insupportable. En parler aurait été invivable. La dépression prenait déjà trop de place.

Mon conseil

Rapidement, violemment, les étiquettes sont attribuées. Elles peuvent rester collées une vie entière. Bonjour l'angoisse. Conserver un secret apporte une force insoupçonnable. De plus, vous n'avez pas à vous justifier. Votre seule motivation : gagner ce combat contre la dépression. Ne vous mettez pas « la pression ». La dépression suffit. Laissez les autres de côté. Il vaut mieux tout avoir plutôt qu'une dépression. Inventez n'importe quoi. Un virus tropical est assez chic. Si vous dormez de manière conséquente, vous avez été sans doute la seule Européenne à être en contact avec la mouche tsé-tsé. Imaginez une maladie rare, tout à fait originale, ou taisez-vous.

Vous et votre famille

Chaque famille heureuse est malheureuse à sa manière.
Léon Tolstoï

Qui peut vous comprendre ?

Globalement et majoritairement, il est complexe pour votre famille de poser un œil objectif sur votre personnalité et par là même sur votre dépression. Face à eux se trouve un kaléidoscope, amas de souvenirs entravant leur point de vue. De ce fait, même avec tout l'amour du monde, ils ne peuvent vous donner les conseils nécessaires pour sortir de votre dépression. Par ailleurs, certaines dépressions surviennent justement suite à de mauvais rapports entretenus avec vos proches. Quoi qu'il en soit, toute personne atteinte de dépression se sent terriblement seule, même si elle est entourée. Vos proches, ou du moins ceux qui vous aiment vraiment, pourront essayer de vous comprendre, mais seuls ceux qui sont passés par « là » pourront vous accompagner vers la guérison.

Il existe en France de nombreuses associations de personnes ayant souffert ou souffrant de dépression. Seules ces personnes pourront vous venir en aide, vous parler, témoigner de leurs propres afflictions, raconter leurs victoires. Leurs témoignages rassurent et leurs guérisons nous confortent dans la certitude de quitter « un jour » cet état. Comme pour toute maladie, nous passons par tous les stades : espoir – désespoir – doute de s'en sortir... Pour ceux qui n'ont pas la foi, c'est une sacrée épreuve. Ce qu'il faut savoir, c'est que l'on s'en sort ! Toujours. Il n'existe pas de formes de dépression qui ne puissent être soignées. Certes, nous avons toujours l'impression d'être un cas unique. Nous avons en effet notre propre vécu, notre histoire, nos composantes familiales, notre manière d'appréhender les événements. Confirmation : lorsque vous tendrez votre main et que vous arriverez à sortir de votre mutisme ou de votre inhibition liés à votre douleur, vous trouverez via Internet, le Minitel ou le téléphone *(voir guide pratique,* p. 237*)* les personnes aptes à vous écouter sincèrement, de manière désintéressée et surtout avec amour et compréhension.

Mon expérience

Mon mari était très désemparé devant ma dépression. C'est suite à une émission de radio (ayant pour sujet la dépression) qu'il a pris conscience du poids de ma souffrance. Il m'a avoué par la suite ne pas avoir évalué l'échelle de ma douleur. Nous ne savions rien de cette maladie. Nous avons été confrontés à une forte rétention d'information de la part des médecins. Nous avons trouvé quelques éléments de réponse en parcourant certains bouquins de thérapeutes. Nous en avons déduit que tout ce qui touche au cerveau est terriblement flou et énigmatique. Tout reste à explorer.

Mon conseil

J'ai établi avec mon époux et mon médecin la même échelle d'appréciation (entre 0 et 10) pour éviter de remâcher mes soucis et rationaliser. Aujourd'hui, je suis à 8 par exemple. Pas de bla-bla supplémentaire. Exploitez la même méthode de dialogue, à travers la courbe mensuelle et les paliers de 0 à 10.

Devez-vous demander de l'aide et jusqu'à quel point ?

Oui à 350 %. Une fois votre traitement en cours, déléguez toutes les tâches quotidiennes (que vous serez sûrement incapable d'accomplir). Remettez-vous à votre famille pour gérer vos courses et autres paperasseries. Les traitements antidépresseurs sont souvent pénibles à supporter au début. L'effet antidépresseur n'agit qu'au bout de quinze jours, voire trois semaines selon les cas. Insistez pour obtenir le téléphone de votre médecin traitant afin d'être rassuré (surtout les week-ends) sur les effets secondaires possibles liés à votre traitement. Si vous êtes envahi par des idées suicidaires, ou si vous avez déjà tenté de vous suicider, il serait souhaitable et préférable de recourir à une hospitalisation courte au sein d'une clinique. Le personnel vous soulagera. Vous aurez le loisir de vous plaindre si vous en avez envie (ce que l'on n'ose pas faire chez soi, de peur de ressasser). Surtout, vous n'aurez à vous occuper de rien, sinon de vous-même. Toute votre énergie sera axée vers votre guérison. Cette parenthèse est extrêmement appréciée des patients, même si nous sommes très frileux à l'idée d'envisager cette solution : peur de l'entourage, des traitements... Sachez que les médecins qui gèrent ce genre de services aident des milliers de personnes dans votre cas. Par ailleurs, votre chambre sera située dans un univers de personnes souffrant de dépression comme vous. Vous n'avez pas à vous inquiéter.

Mon expérience

Je m'en suis remise à mon mari « clés en main ». Incapable d'assumer quoi que ce soit. Il a donc dû tout gérer de A à Z. J'étais complètement « handicapée ». Il a pris en charge son boulot, moi et le reste. J'avais réellement peur qu'il ne craque lui aussi. Il est passé par tous les caps : de la fermeté à une merveilleuse douceur. Une écoute permanente et exemplaire. Sans lui, je serais morte. Je suppose...

Mon conseil

Lorsque j'ai senti mon mari dépassé par le cours des événements, j'ai, à chaque fois, pris la décision de le décharger. Je me suis fait hospitaliser. Respiration. Ces points de suspension ont permis à notre couple de souffler. De nous reposer. Deux ans de tempête, c'est exténuant. Pensez à eux, ils dégustent aussi.

Vous et votre entourage

L'esprit oublie toutes les souffrances quand le chagrin
a des compagnons et que l'amitié le console.
William Shakespeare

Les toxiques

Catégorique et sans détours. Dépressifs, vous êtes de vrais buvards. Comme une éponge, vous vous imprégnez de tout ce qui se trame à l'extérieur. Vous mettez un temps fou à vous débarrasser de ces émotions parasites. Règle : toute personne vous pompant votre énergie en conseils ou bavardages inutiles est une personne à éloigner provisoirement ou complètement. Vous ne pouvez pas prendre soin de vous et de votre entourage en même temps. Ou bien vous vous mettez consciemment en péril. Considérez que vous devez fréquenter uniquement des personnes optimistes et positives. Vous guérirez beaucoup plus vite. Vous n'avez pas à vous justifier de tout et pour tout. Pour une fois, vous allez vous occuper de vous et de vos difficultés. Vous allez examiner le cœur de votre âme. Écouter votre chagrin. Vous êtes comme un arbre dont on doit couper quelques branches : les branches malades ou fatiguées qui le mettent en danger (les personnages toxiques ou malfaisants). Cet arbre, une fois dépouillé de toutes ses mauvaises énergies, est en voie de guérison. Débarrassé de tous ces éléments perturbateurs, vous allez pouvoir puiser dans votre sève profonde pour grandir et vous accroître merveilleusement. Un peu chirurgical et parfois douloureux, mais nécessaire à une vraie renaissance.

Mon expérience

J'ai nettoyé mon agenda à coups de Typex. Drastique. Toutes les personnes qui me vidaient en énergie ont été effacées de ma mémoire. Les « suceurs de cerveau » ont été remis à leur juste place. Ceux qui m'angoissaient me renvoyant une image négative de moi-même ont été totalement écartés. Je leur ai livré l'explication suivante : « Je vis une période délicate. J'ai besoin de me recentrer. Je suis désolée, mais il faut savoir être égoïste. »

Mon conseil

Votre énergie est comptée. Ce n'est plus un geyser. Elle vaut de l'or. Elle seule peut vous sauver. Faites savoir à votre entourage que l'énergie et le temps que vous leur consacrez sont ceux, justement, dont vous avez besoin pour guérir.

Votre entourage

Les malheureux. Ils sont à plaindre. Faites preuve de compréhension, patience et tolérance. Ce sont des êtres humains. Imparfaits. Impuissants devant votre « désespérance ». Mis à mal devant votre mal de vivre. Ils trinquent sacrément. Laissez-leur la possibilité de se tromper d'attitude. Le principal : ne les prenez pas pour des psys ! Ce n'est pas leur boulot. Ils n'en ont pas les compétences. Ils sont d'ailleurs fréquemment plus paniqués que nous. C'est peu dire. Ne leur balancez pas à longueur de journée vos idées morbides. Une fois suffit.

Mon expérience

Exception faite de mon mari, je n'avais plus d'entourage. Je suis devenue « l'ermite total ». Le problème était réglé.

Mon conseil

Faites-vous respecter en tant que malade.

Conseils à l'entourage

• Apprenez à l'écouter. Ne suggérez rien. Laissez-vous guider. Laissez s'installer les silences. Attendez. Si besoin, relancez par un mot. Respectez son débit et mettez-vous au diapason.

• Tâchez d'identifier clairement le niveau de sa douleur en utilisant l'échelle d'appréciation de la dépression (entre 0 et 10). Le dépressif se sentira alors compris, sans avoir à remuer son mal-être. Faites-lui comprendre que vous vous sentez aussi impliqué. Faites preuve de compassion et ne portez aucun jugement.

• Suggérez des solutions. Il faut qu'il sente que vous pouvez l'aider, le sortir de cette impasse. Demandez-lui ses commentaires sur les solutions que vous proposez. N'imposez rien. Il doit toujours donner son avis. S'il est contre, passez immédiatement à autre chose. Changez de sujet. Il y reviendra peut-être le lendemain.

• N'envisagez une hospitalisation que sur sa demande. Déjà enfermé dans sa maladie, il vivrait cette mise à l'écart comme un réel abandon de votre part. La demande de prise en charge médicale doit émerger des entrailles du dépressif. Considérez que, agir contre son gré, c'est comme l'envoyer en prison.

• Aidez le dépressif à raisonner correctement en rationalisant et en relativisant. Ne pas dramatiser davantage la situation. La prendre sous un autre angle pour l'aider à comprendre qu'il y a forcément une porte de sortie.

• Recherchez absolument tout type d'informations sur la dépression. Mettre le dépressif en contact avec des associations et le pousser à rencontrer des personnes souffrant des mêmes dépressions, lui faire rompre son isolement est essentiel.

• Mettez l'accent sur le fait que la dépression est une course de fond. Qu'il doit être patient et persévérer.

• Soulignez ses petits efforts, ses progrès même infimes et félicitez-le.

• Tentez de vous amuser. Il doit sentir que la vie n'est pas qu'un fardeau. Ne changez rien à vos activités, mais sachez vous rendre disponible lorsqu'il le désire.

• Ne lui parlez pas sans cesse de sa maladie s'il ne l'évoque pas lui-même.

172

- Essayez de lui changer les idées. Insistez s'il refuse.

- Favorisez son sentiment de responsabilité. Essayez de le rendre maître de ses décisions. Il doit sentir qu'il retrouve de la force, seul. Il doit sentir qu'il est le seul à se prendre en charge.

- Encouragez son adhésion au traitement antidépresseur. Soyez très à l'écoute de l'évolution ou de l'involution consécutives au traitement. N'hésitez pas à appeler son médecin pour toutes questions éventuelles.

- Essayez à tout prix de le faire sortir de chez lui. Même cinq minutes. Il doit garder les pieds sur terre.

Vous et votre travail

Le travail éloigne de nous trois grands maux :
l'ennui, le vice et le besoin.
Voltaire

Un arrêt de travail est-il nécessaire ?

Ayant fréquenté un grand nombre de dépressifs (en clinique et à travers les réunions d'associations), je vous confirme qu'une dépression prise au tout début ne nécessite pas forcément un arrêt de travail, sachant tout de même qu'il ne sera pas évident de travailler et de se concentrer en début du traitement. Cela dit, pour tout travail nécessitant une grande précision ou l'utilisation de machines, il est fortement recommandé de s'abstenir de travailler. Par ailleurs, certains de vos collègues remarqueront peut-être vos changements brusques d'humeur (ce qui peut arriver en début de traitement) et vous aurez sans doute beaucoup de mal à expliciter vos réactions et vos comportements.

En ce qui concerne les dépressions détectées très rapidement, une quinzaine de jours à trois semaines d'arrêt de travail s'imposent impérativement, afin de pouvoir réellement se reposer. Laissez la molécule agir tranquillement. Surtout sans stress. Or, aujourd'hui, qui ne travaille pas speedé ou surmené... Personne !

Mon expérience

Pour mes passages en clinique, j'étais en vacances ! Mes clients, compréhensifs, me sont restés fidèles. La seconde année, j'ai annoncé que je prenais une année sabbatique. J'ai perdu ma clientèle mais j'étais paisible.

Faites une cassure de deux semaines au minimum. Essentiel à la mise en place d'un traitement sérieux.

Devez-vous informer vos collègues ?

Non, en aucun cas. Faire part de la raison de votre arrêt de travail au sein de votre entreprise est périlleux. Une vraie bombe à retardement. Une fois revenu, vous seriez regardé voire même observé comme une bête curieuse. Vous l'encaisseriez très mal. Cela ne vous permettrait pas d'oublier cet épisode malheureux. Donc mutisme absolu. Le comble, c'est qu'au sein de votre entreprise 10 à 20 % d'individus sont peut-être eux aussi sous antidépresseurs ! D'une manière générale, au bout de trois à quatre semaines, vous exprimerez certainement le désir de retravailler. Ce souhait est excellent. Il souligne que vous êtes sur la voie de la guérison. Il faudra seulement prendre en compte cette demande et se réhabituer à un rythme de travail très progressif. Commencer par un mi-temps ou travailler trois jours par semaine serait idéal. Si cela est irréalisable, il est préférable de prolonger l'arrêt de travail pour se faire plaisir, même si c'est pour rester scotché devant la télé pendant des heures à regarder des émissions insipides. Il n'y a pas mieux pour penser à autre chose ou à rien. Le tout étant de retrouver une activité qui vous éloigne de votre nombril et de votre mental.

Chinez, visitez des amis, commencez une collection, occupez-vous de votre balcon, repeignez votre appartement... Dorlotez-vous. Occupez-vous de vous : enfin ! Il n'est jamais trop tard.

Mon expérience

Free-lance, je n'ai pas eu de comptes à rendre.

Mon conseil

Taisez votre dépression. Masquez le motif de votre arrêt de travail inscrivant plutôt (c'est légal) : repos à la campagne. Histoire de ne pas avoir la visite d'un contrôleur de la Sécu. N'oubliez pas que le double de l'arrêt de travail est envoyé à l'employeur.

Les mutuelles n'apprécient pas tout ce qui touche aux problèmes psy, ou à l'alcool. Lire et relire votre contrat. Il y a de fortes chances pour que vous ne soyez pas remboursé. Dans ce cas, un bon mensonge fera peut-être passer la couleuvre. Il vaut mieux parler d'une immense fatigue, d'une anémie, d'un surmenage, de maux de tête intolérables, d'un épuisement plutôt que d'employer le terme de dépression. Pour une mutuelle santé, la dépression coûte aussi cher qu'une catastrophe naturelle pour un assureur habitation !

On ne sait pas combien cela va coûter en tout, combien de temps cela va durer et surtout si cela ne va pas se reproduire.

La tentative de suicide et le suicide

*Ceux qui jouent avec des chats
doivent s'attendre à être griffés.*
Cervantès, *Don Quichotte*

L'idée du suicide mûrit longuement. Tel un venin, elle s'infiltre le long de nos veines, durant de longues semaines. Parviendra-t-elle jusqu'à notre cerveau ? Passerons-nous à l'acte ? Nous ne cessons pas de nous poser la question. Aurons-nous le courage ? Être mort signifie-t-il le repos absolu ? Ou l'enfer ? Nous voici devant la fatale question dont personne ne connaît la réponse. Existe-t-il une vie après la mort ? L'inconnu fait peur mais lorsque l'abandon et l'enfermement sont intolérables, la fuite, le saut dans le vide paraissent aussi, étrangement, être une porte de sortie. Alors qu'il n'en est rien...

Le suicide équivaut au meurtre de soi-même. Toute dépression moyenne ou sévère induit des pensées morbides ou suicidaires. Toute formulation de ce désir, de ce passage à l'acte, doit être considérée comme une réelle urgence. Une dépression nerveuse non traitée ou mal soignée peut mener le malade au suicide. Il s'agit néanmoins de nuancer. Il existe en effet deux types de suicide : les appels au secours (suicide calculé), utilisés pour interpeller l'entourage afin d'obtenir une attention soutenue et un accroissement de l'affection, et le « vrai » suicide. Dans tous les cas, ces passages à l'acte sont la conséquence d'une souffrance non entendue et d'une profonde solitude. C'est pourquoi il ne faut jamais prendre à la légère le discours du dépressif (« Il vaudrait mieux que j'en finisse ») et penser qu'il ne le fera jamais. Dès l'instant où un individu émet un tel cri, il faut le prendre par la main et se rendre rapidement chez un psychiatre et non un généraliste.

La femme, ou l'homme, désirant attenter à ses jours se trouve la plupart du temps dans un isolement et une inquiétude insoutenables, du fait d'un manque d'attentions. Le facteur essentiel est avant toute chose l'entourage du malade. Si le dépressif ne perçoit pas une réelle considération, il n'aura, selon ses propres termes : « Personne pour l'en empêcher. »

Le problème réside dans le fait que la dépression nerveuse est encore une maladie méconnue. Le XXIe siècle sera sans nul doute le siècle des grandes découvertes : les mécanismes de l'humeur, les processus de dégradation cellulaire, les dépressions, les psychoses ou autres pathologies, les maladies génétiques.

Statistiques : personne n'est à l'abri d'une dépression, à n'importe quel âge, quel que soit le tempérament.

En France, par an, 12 000 décès pour environ 120 000 tentatives de suicide.

Deux tranches d'âges plus exposées : les 25-30 ans, où le suicide est la première cause de mortalité, et les personnes âgées.

Le chantage au suicide

Le malade imagine, par la menace, obtenir ce qu'il désire. Mais avant de parler de sa propre destruction, il souhaite avant tout manipuler et culpabiliser l'autre. Inévitablement, cette situation mène à l'extrême. Il n'est pas à négliger que la menace de suicide devienne réalité. Malgré toute l'horreur d'un tel chantage, il faut considérer qu'il émane d'un être souffrant, déséquilibré et malade.

Le suicide masqué

Tout déprimé ou dépressif peut recourir à d'autres méthodes bien moins radicales. Celle de mourir à petit feu et sous les yeux de ses interlocuteurs. Tels sont les cas de l'anorexie et de l'alcoolisme, ou d'autres drogues illicites.

Mon expérience

Je ne m'en vante pas. Vrai tremblement de terre. Mon mari a dès ce jour compris que je pouvais mourir. Mourir d'une dépression. C'était comme déboucher une bouteille sous pression.

Mon conseil

Téléphonez, parlez de vos envies suicidaires. Ne passez pas à l'acte. Les suicides « calculés » aboutissent une fois sur deux à une mort certaine ou à un handicap sévère consécutif aux comas.

La tentative de suicide

Plus fréquemment dénommée « appel au secours », favorisée le plus souvent par une situation d'enfermement voire d'isolement, elle n'est qu'une demande d'amour et d'écoute masquée. Le dépressif n'étant malheureusement le plus souvent entendu et considéré par son entourage qu'à la suite d'un tel acte. Pour ce faire et selon les récentes études, l'emploi de psychotropes serait le principal outil.

Le suicide
(Type pendaison, phlébotomie...)

Le vrai suicidaire procède méticuleusement. Il fait tout pour ne pas se rater. Souci majeur, c'est en effet la première cause de mortalité chez les moins de 30 ans. Est née à ce propos une « Journée d'information sur le suicide » afin de prévenir ce véritable fléau. Il s'avère cependant extrêmement rare que le malade n'ait pas préalablement mentionné l'éventualité de se donner la mort. Tout comportement étrange ou inverse à un état antérieur doit éveiller, chez les proches de celui-ci, une surveillance et une attention accrues.

Commentaires : lors de mes hospitalisations, j'ai enquêté auprès des malades et leur ai posé la question : « Pourquoi avez-vous tenté de vous suicider ? »

Voici leurs réponses selon l'ordre d'importance :

1. pour ne plus souffrir
2. pour dormir
3. pour attirer l'attention et demander de l'aide
4. parce que je me sens coupable et que je suis indigne de vivre
5. pour ne plus peser sur mon entourage
6. pour me punir
7. pour connaître une autre vie, meilleure
8. pour laisser des remords à mes proches, pour les punir du mal qu'ils m'ont fait

---

Conclusion : en vérité, la majorité d'entre eux avouaient que, en dépit de ce geste, ils voulaient VIVRE.

Les chiffres de la dépression

J'y arriverai quand même !
Sarah Bernhardt

Les chiffres parlent...

La France, médaille d'or de la consommation de psychotropes : calmants, hypnotiques, somnifères, antidépresseurs.

80 % des antidépresseurs sont prescrits par des médecins généralistes.

71,5 % des prescriptions d'antidépresseurs concernent les femmes.

28,5 % concernent les hommes.

Les hommes sont plus touchés par les pathologies graves : maniaco-dépression, psychose...

Les hommes consomment deux fois plus de neuroleptiques que les femmes.

La consommation d'antidépresseurs est plus élevée au sein des foyers modestes.

La consommation d'antidépresseurs est plus élevée chez la femme au foyer que chez la femme chômeuse.

Source le Credès [1] : 15 % des Français sont dépressifs, et près de la moitié des malades ne sont pas traités.

47 % de ces déprimés seraient suivis par un médecin.

Selon les statistiques, 30 à 40 % de la population souffrirait d'insomnie.

---

1. Credès : Centre de recherches, études, documentation en économie de la santé.

Les Français dépensent chaque année un milliard de francs pour acheter du Prozac.

Le Prozac est le troisième médicament vendu en pharmacie après un antiulcéreux et un anticholestérol.

En 1999, 772 millions de francs ont été présentés contre remboursement à la Sécurité sociale.

Chiffres de la dépression selon les professions dans l'ordre décroissant (source le Credès) :

Premiers touchés

Les employés :	20,9 %
Les ouvriers :	14,7 %
Les professions intermédiaires :	13,1 %
Les artisans et les commerçants :	12,1 %
Les agriculteurs :	11,7 %
Les cadres et les professions libérales :	10,8 %

Chiffres des dépressions majeures et syndromes dépressifs en Europe :

Dans l'ordre décroissant (source études pays : enquête Depres 1997)

France :	11,6 SD*	9,1 DM**
Royaume-Uni :	10,4 SD	9,9 DM
Espagne :	8,2 SD	6,2 DM
Pays-bas :	6,6 SD	6,9 DM
Belgique :	5,7 SD	5 DM
Allemagne :	5,6 SD	3,8 DM

85 % des boîtes de Prozac sont prescrites par des généralistes.

Les généralistes ne reçoivent aucune formation spécifique concernant les antidépresseurs.

De même, 15 % de Français seraient des insomniaques chroniques.

Recensés ou non... combien de dépressifs sommes-nous ?

---

* SD : syndrome dépressif.
** DM : dépression majeure.

Le cerveau, mode d'emploi à découvrir

*Le doute n'est que la première phase
de l'abstention et du désespoir.*
Marcel Landre

Le mécanisme de notre cerveau, responsable et coupable de nos émotions, de nos errances, de nos fulgurances, fut clairement identifié en 1953. En effet, celui-ci « ressent » autant qu'il pense. Un scientifique canadien découvrit qu'un rat pouvait éprouver un plaisir intense après le passage d'un minuscule courant électrique dans une partie de l'hypothalamus. Les recherches se précisèrent avec la venue du premier antidépresseur en 1957. De même, elles mirent en évidence les centres d'aversion et les centres de plaisir, situés au sein de l'hypothalamus. La question fondamentale que les chercheurs se posèrent fut : « Comment équilibrer correctement par la raison ces émotions qui nous permettent de nous adapter à toutes sortes de situations ? » Voici le résultat de leurs études :

1. Vraisemblablement, le cortex cérébral (contrôle de la conscience) commande au système limbique le genre de réaction à adopter. Le système limbique ajuste alors le niveau de réaction, depuis la joie modérée jusqu'à l'extase, ou du vague mécontentement à la haine profonde.

2. Des changements de flux dans la qualité des neurotransmetteurs (neurones de notre cerveau) et dans les cellules cérébrales produisent des changements immédiats de l'émotion. Grande trouvaille de nos explorateurs !

3. Les sensations de plaisir seraient dues à des signaux chimiques produits lors de la libération de noradrénaline, tandis que la douleur ferait libérer davantage d'acétylcholine.

4. L'humeur semble logiquement être liée à la sérotonine chimique. Hormone du bien-être. Découverte fondamentale de la fin des années quatre-vingt, avec la découverte des inhibiteurs de recapture de la sérotonine. Leur figure de proue : le Prozac. Les scientifiques en déduisent que l'individu privé de cette substance se sent déprimé.

Naissance des calmants

Au XXᵉ siècle, la société refuse hardiment la notion de souffrance. Qu'elle soit physique ou morale. Exit alors la douleur de l'accouchement, la douleur de la première dent, la douleur des maladies incurables et en dernier lieu le refus du mal de vivre avec la quête impossible d'une pilule du bonheur. Cette « révolution des mœurs » ambitionne de refondre les valeurs inhérentes à l'homme, à savoir prendre le pas sur la nature. Ces générations revendiquent principalement le plaisir et la jouissance sous toutes ses formes. Profiter de la vie, consommer, voyager, découvrir, moderniser... Mais souffrir ? Ah non, plus jamais !

Cette nouvelle notion de joie de vivre donne naturellement naissance aux antidouleurs. Le refus de souffrir est maintenant profondément ancré dans notre « code de vie ». C'est le début des armées de jeunes mères faisant avaler des tonnes d'antibiotiques à leurs enfants pour le moindre rhume. Pauvre petit chéri, comme il souffre... Et nos grand-mères de se retourner dans leurs tombes !

Puis surgissent à présent nos féroces ennemies : les machines ordinateurs. Celles qui font tout... En mieux ! Qui remplacent le pauvre homme faible au profit du robot, la standardiste au profit du serveur vocal, la serveuse au profit du self-service, le dialogue intergénération au profit de la télévision, les hommes au profit d'ordinateurs qui accélèrent le rendement.

Jusqu'au milieu des années soixante-dix, toutes ces évolutions se présentent sous les meilleurs auspices. Seulement, les entreprises établissent leurs bilans. Une machine ne tombe jamais malade, n'est pas syndiquée et apporte plus de bénéfices. Ces sociétés intègrent vite le fait qu'elles se trouvent face à un choix inéluctable. L'être humain ou la machine vingt-quatre heures sur vingt-quatre ? Dur dilemme. Chômage en vue. Il faut dire que gérer l'humain, c'est tout de même ce qu'il y a de plus laborieux. Le gong sonne avec fracas. La société bascule vers l'ultraperformance, et ce dans tous les secteurs. Ce rythme décuplé pousse l'homme dans ses derniers retranchements. Il lui faut être égal à la machine et vaille que vaille s'homogénéiser. Cohabiter avec ces nouvelles venues. C'est-à-dire apprendre à ne plus souffrir. Se taire si c'est le cas. Être rentable vingt-quatre heures sur vingt-quatre, ne jamais tomber malade, être toujours au top, répondre avec le sourire. Qu'il pleuve, qu'il vente, qu'il neige !

Les médecins commencent alors à voir se multiplier leur clientèle. La demande des patients est claire : « Quelles substances possèdent le merveilleux pouvoir d'atténuer notre douleur ? » Nous voici entrés dans l'ère des tranquillisants. Ceux qui réduisent ou annihilent considérablement l'émotion exacerbée. Ces dépresseurs communément appelés calmants, ces miraculeuses petites pilules. Vont-elles nous permettre de tenir le coup ?

Les tranquillisants déclenchent un effet biochimique sur le système nerveux central. Ils ont pour effet d'endormir ou de calmer les anxieux. Il en existe différentes sortes aux effets distincts :

1. Les médicaments appelés hypnotiques ou somnifères ont suffisamment d'effet sur la formation réticulée stimulante du tronc cérébral pour provoquer l'endormissement. Le problème réside dans le fait que cette classe de médicaments crée une dépendance.

2. L'alcool est un autre dépresseur efficace même si la plupart des individus imaginent que les boissons alcoolisées sont stimulantes. Comme les barbituriques, l'alcool agit sur le cerveau en stimulant l'activité de l'aminoacide butyrique. Il a pour effet d'assujettir les centres supérieurs responsables de la retenue et du jugement moral. Ainsi libérées, les régions inférieures du cerveau prennent le dessus, de sorte que l'humeur et l'émotion dominent l'esprit.

De plus, si l'alcool continue à s'accumuler dans le sang, il provoque des troubles de la parole, une démarche mal assurée, parfois l'inconscience. Voilà pourquoi il est formellement déconseillé de boire de telles substances sous antidépresseur ou sous anxiolytique. Les deux se renforçant dans leur action, ils se potentialisent.

Les excitants

Une fois calmé et détendu, l'être humain peut continuer son rythme soutenu. Sa cadence folle. Un coup de calmant, une bonne giclée d'excitant, jusqu'à quand ?

Le tabac contenant de la nicotine est un stimulant léger

La nicotine est absorbée par le sang puis par le cerveau, via les muqueuses de la bouche et des poumons. Le retour dans le système nerveux provoque un élargissement de la trachée, des bronches et des alvéoles. La nicotine qui circule dans le sang atteint l'hypothalamus et affecte les mécanismes de régulation de l'appétit.

Le café, le cacao, le thé et le cola

Le cacao et le thé contiennent de la théobromine et de la théophylline. Le café, le thé, le cacao et le cola contiennent tous de la caféine. Un stimulant redoutable. Qui n'a pas entendu cette fameuse phrase : « Sans mon café du matin, je ne vaux rien ! » La caféine, agissant sur la formation réticulée du tronc cérébral, contrôle de la conscience, suffit pour animer le flux de pensées et déclencher la production de signaux moteurs entre le cerveau et les muscles. Cela suffit donc à éveiller ou « réveiller » toute personne plus ou moins apathique. Sachez que trop de caféine engendre l'anxiété, l'angoisse, l'insomnie. La caféine augmente de même l'activité cardiaque et respiratoire. Vous comprenez maintenant pourquoi boire ces substances caféinées peut provoquer l'effet inverse de vos calmants ! L'un annule l'autre.

Malheureusement, nos chutes biologiques et morales deviennent récurrentes. La dépression pointe son nez en direction d'une large majorité de la population européenne. Les excitants ne suffisent plus à calmer nos désordres et agitations en tous genres. Les chercheurs s'intéressent par conséquent aux antidépresseurs, stimulants de l'humeur sans nocivité pour l'homme a contrario des excitants.

Ils découvrent ainsi trois classes d'antidépresseurs : les tricycliques, les Imao [1], et les derniers-nés : les inhibiteurs de recapture de la sérotonine appelés aussi sérotoninergiques. Ces trois classes d'antidépresseurs offrent le même avantage : redonner le goût d'entreprendre, stimuler les désirs, retrouver la joie d'être et de vivre, lutter et soigner les états dépressifs et la dépression.

---

1. Imao : inhibiteurs de la monoamine oxydase.

Les différents antidépresseurs

*La mélancolie, c'est un désespoir
qui n'a pas les moyens.*
Léo Ferré

Nous bénéficions aujourd'hui d'un large éventail de médicaments extrêmement efficaces. Nous pouvons ainsi continuer à vaquer à nos occupations, à un rythme fou. Une pilule calmante, un antidépresseur ! De plus, toutes les études faites depuis les années soixante (naissance des premiers antidépresseurs : les tricycliques) montrent à quel point les dépressions sont aujourd'hui simples à guérir. Cependant, avant tout traitement, il faut s'assurer du bon état du malade sur les plans suivants : cardiaque, neurologique, rénal et hépatique. Une fois ces éléments de contre-indications écartés, il conviendra de se traiter.

Le choix du type d'antidépresseur dépend de différentes composantes. Si vous souffrez d'une dépression à forte teneur anxieuse, somatique, asthénique, mélancolique, obsessionnelle, phobique... Et c'est au psychiatre ou au psychanalyste, seul, de décider.

Qu'est-ce qu'un antidépresseur, au juste ?

Les antidépresseurs ont pour effet d'augmenter la quantité des substances (dopamine, noradrénaline, sérotonine) libérées dans les connexions entre les neurones, appelées neurotransmetteurs, et d'éviter leur dégradation.

Et un neurotransmetteur ?

Le neurotransmetteur est une substance biochimique qui transmet l'influx nerveux. La diminution de la quantité de certains neurotransmetteurs expliquerait en partie la dépression.

Est-ce vraiment utile ?

Non seulement la souffrance s'évanouit mais les antidépresseurs sont plus que jamais salutaires et indispensables.

Les scientifiques ont démontré que la majorité des analyses de sang de leurs patients déprimés montrait une diminution ou une altération des trois neurotransmetteurs suivants :

– la dopamine
– la sérotonine
– la noradrénaline

Ces dosages (très délicats) sont rarement prescrits, car chers et non remboursés. Par ailleurs, très peu de laboratoires savent effectuer correctement ces analyses. Les scientifiques ont conclu qu'en prescrivant selon les cas les substances permettant d'élever l'une ou les trois de ces « matières » essentielles à une humeur stable et heureuse, le patient retrouvait dynamisme et joie de vivre. De même, ils ont également démontré que ces traitements étaient parfaitement efficaces s'ils étaient avalés de préférence chaque jour, à la même heure, sur une durée de six mois au minimum. Le ou les taux ainsi relevés, le patient se trouve guéri et ne subit pas de rechute.

Certains effets indésirables peuvent survenir mais ne représentent pas réellement un facteur gênant tant le malade exprime son mieux-être, jusqu'à retrouver une parfaite stabilité et une belle harmonie psychique.

Il faut noter cependant la liste des effets secondaires possibles, liés à toute prise d'antidépresseurs :

– bouche sèche
– constipation
– prise ou perte de poids
  chute ou hausse de tension

- légers troubles de la mémoire
- diminution de l'acuité visuelle
- tremblements légers
- bouffées de chaleur
- modification ou baisse de la libido

Tout traitement allopathique, autre que psychiatrique, comporte aussi des effets indésirables. Mais ce n'est pas parce qu'ils sont inscrits dans la carte posologique (à l'intérieur de la boîte de l'antidépresseur) que vous allez les subir. Peut-être ne connaîtrez-vous aucun désagrément. Là encore, chacun réagit différemment. Cela varie aussi selon les doses.

Leur délai d'action ?

Les thérapeutes et les laboratoires s'entendent pour constater que l'effet total est obtenu à compter de la deuxième semaine de traitement Au-delà de trois semaines, si le malade ne connaît pas d'amélioration, c'est que le traitement ne lui est pas approprié. Il est alors indispensable de changer de molécule antidépressive. Par ailleurs, de violents effets indésirables obtenus dès la première semaine peuvent faire l'objet d'un arrêt du traitement en question.

Mon expérience

J'ai dû tester une dizaine d'antidépresseurs. Moduler également les doses. Nous avons tâtonné jusqu'à l'épuisement. Puis, épanouissement complet, nous avons fini par trouver la combinaison de deux pilules miracles.

Mon conseil

Soyez patient. Demandez à changer si vous constatez que votre humeur ne s'améliore guère. Votre sommeil doit être serein, votre réveil agréable, et vos journées doivent se colorer de jour en jour.

La durée du traitement

En ce qui concerne le « traitement d'attaque », il est prudent de considérer une médication de six mois au minimum. Puis régression progressive des doses, sur une même période de six mois. Ces paramètres d'arrêt ou de baisse des antidépresseurs doivent faire impérativement l'objet d'une vigilance et d'une analyse accrues du thérapeute. Les ressentis, l'environnement professionnel, familial et physique du patient doivent être pris en considération.

Les associations possibles

Les médecins recommandent l'emploi d'un tranquillisant. Le plus souvent issu de la famille des benzodiazépines (famille de calmants). Ceci afin d'éviter toute levée d'inhibition (virage de l'humeur, risque suicidaire). Le tranquillisant n'agit bien entendu que sur trois paramètres : l'anxiété, d'éventuelles somatisations et le sommeil.

Cet anxiolytique est à doser avec précision pour ne pas annuler l'effet antidépresseur tout en limitant quelque peu « l'effet incisif » de certains d'entre eux, notamment les psychostimulants. Pour les antidépresseurs sédatifs, l'adjonction d'un calmant n'est pas réellement nécessaire, mais elle peut être justifiée en début de traitement, lorsque l'antidépresseur n'a pas encore révélé tout son pouvoir.

Une trentaine d'antidépresseurs environ sont commercialisés en France. Treize dérivent de l'imipramine (molécule la plus ancienne, produit de référence, fréquemment utilisée lors d'une hospitalisation). Quatre sont issus des Imao, l'un est une association avec un anxiolytique, trois antidépresseurs constituent un groupe hétérogène, et sept forment le groupe des sérotoninergiques. Leur efficacité est avalisée par le ministère de la Santé. Selon les statistiques, le volume de consommation des antidépresseurs ne cesse d'augmenter dans notre cher pays. Ils sont maintenant souhaités par toutes les classes d'âge, le jeune, l'adulte, le senior, la personne âgée. Selon, l'Organisme mondial de la santé, nous serions deux cents millions de « consommateurs d'antidépresseurs » sur la planète.

Les risques de rechute

Une récidive est toujours possible. Toutefois, si le patient se trouve bien suivi, s'il prolonge son traitement sur une durée minimale de six mois, s'il continue de consulter son thérapeute pour vérifier son état psychologique, ou dès le moindre malaise, il est peu probable qu'il y ait une rechute. Même guéri, le patient doit interroger son analyste de temps en temps. Cela étant, d'après les statistiques, le risque de rechute est plus fréquent en cas de dépression dite névrotique.

Classification des antidépresseurs

Tous les antidépresseurs possèdent une même action : l'amélioration de l'humeur. Mais leur emploi et leurs effets secondaires diffèrent selon leur nature chimique.

Sont employés deux groupes d'antidépresseurs :
– les antidépresseurs dits sédatifs : actifs sur l'anxiété, l'énervement, l'agitation, l'irritabilité, les insomnies
– les antidépresseurs stimulants et/ou déshinibiteurs actifs en cas d'asthénie psychique et physique, de léthargie, d'inhibition

Les effets stimulants ou sédatifs se manifestent dès les premières heures. En revanche, les propriétés purement antidépressives n'apparaissent qu'après trois à cinq semaines au maximum. Il ne faut pas s'étonner de n'avoir aucun effet antidépresseur en début de traitement. Seuls les effets calmants des antidépresseurs sédatifs offrent un premier soulagement.

Au sujet de la posologie : il est courant de débuter le traitement antidépresseur à une dose dite de moitié puis d'augmenter progressivement pour atteindre la posologie estimée efficace. Certains effets indésirables en cours de traitement comme des tremblements, de la somnolence ou des difficultés d'élocution, imposent une baisse de la posologie. Au contraire, une inefficacité de l'effet antidépresseur impose une hausse de consommation de celui-ci, jusqu'à obtenir l'effet désiré.

Les antidépresseurs, a contrario des tranquillisants, n'entraînent ni accoutumance ni dépendance. Leur arrêt se fait progressivement, évitant ainsi tout risque de rechute.

Au sujet des horaires de prise : référez-vous strictement à l'ordonnance de votre thérapeute. Sachez néanmoins que nos métabolismes diffèrent. Un comprimé chez monsieur X pourra l'exciter alors qu'il est prévu de le calmer, ou l'inverse. C'est une question d'assimilation plus ou moins rapide de ces substances. Parlez-en à votre médecin et modulez les horaires. Notez toujours vos réactions à l'heure près. C'est important pour un éventuel décalage de la prise de certains traitements.

Première famille : les tricycliques

Leurs points d'impact :
– l'humeur dépressive
– l'asthénie physique et psychique
– les somatisations

Les tricycliques se divisent en quatre sous-groupes selon les principes actifs :
– les imipraminiques : antidépresseurs stimulants et peu sédatifs, nécessitant, selon les cas, l'adjonction de tranquillisants
– l'amitriptyline : antidépresseur sédatif, avec une action anxiolytique nette
– autres tricycliques à action thérapeutique mixte : antidépresseur et anxiolytique
– antidépresseurs atypiques : antidépresseurs à forte composante sédative

Précisions

Antidépresseurs	Fonctions
Anafranil :	antidépresseur stimulant et non sédatif
Défanyl :	antidépresseur stimulant et non sédatif
Effexor :	antidépresseur stimulant et non sédatif
Kinupril :	antidépresseur psychostimulant et désinhibiteur
Laroxyl :	antidépresseur anxiolytique et sédatif
Ludiomil :	antidépresseur anxiolytique et sédatif
Norset :	antidépresseur stimulant, non sédatif
Pertofran :	antidépresseur psychostimulant et déshinibiteur
Prothiaden :	antidépresseur stimulant, non sédatif
Quitaxon :	antidépresseur anxiolytique et sédatif
Surmontil :	antidépresseur anxiolytique et sédatif
Timaxel :	antidépresseur psychostimulant et désinhibiteur
Tofranil :	antidépresseur stimulant, non sédatif

Les antidépresseurs atypiques :

Antidépresseurs	Fonction
Athymil :	anxiolytique et sédatif
Stablon :	anxiolytique et sédatif
Vivalan :	anxiolytique et sédatif

Deuxième famille : les Imao ou inhibiteurs de la monoamine oxydase

Ces antidépresseurs sont peu prescrits du fait de leur maniement délicat. Ils imposent en effet une utilisation sévère et interdisent de nombreuses associations médicamenteuses. Sont apparus néanmoins des Imao « nouvelle génération », à demi-vie courte, ce qui permet leur emploi, lorsque c'est indiqué.

Précisions

Humoryl :	antidépresseur stimulant, non sédatif
Marsilid :	antidépresseur stimulant, non sédatif
Moclamine :	antidépresseur psychostimulant et déshinibiteur
Niamide :	antidépresseur stimulant, non sédatif

Contre-indications absolues à l'emploi des Imao :
– antécédents d'accident vasculaire cérébral
– maladie cardio-vasculaire (infarctus, hypertension)
– phéochromocytome
– insuffisance hépatique
– insuffisance rénale

Troisième famille : les inhibiteurs de la recapture de la sérotonine ou IRS

Nés dans les années quatre-vingt, ces médicaments présentent beaucoup moins d'effets secondaires et sont plus faciles à manier.

Leurs points d'impact : les IRS répondent parfaitement à leur rôle d'antidépresseur et possèdent de plus une action apaisante et anxiolytique. Ils sont à même de soigner d'autres pathologies dont la boulimie.

Leurs seuls effets secondaires, parfois observés, sont :
– manifestation digestive
– manifestation hépatique

Précisions

Deroxat :	antidépresseur anxiolytique et sédatif
Floxyfral :	antidépresseur stimulant, non sédatif
Ixel :	antidépresseur psychostimulant et désinhibiteur
Prozac :	antidépresseur stimulant, non sédatif
Seropram :	antidépresseur stimulant, non sédatif
Zoloft :	antidépresseur stimulant, non sédatif

Les affections guéries par les inhibiteurs de recapture de la sérotonine (IRS) :
– dépendance aux drogues
– anorexie
– angoisse
– arthrite
– trouble de l'attention avec hyperactivité
– autisme
– troubles bipolaires (épisodes maniaques dans la dépression de type maniaco-dépressive)
– boulimie
– douleurs chroniques
– dysthimie (dépression chronique)
– mutisme électif (refus de parler)
– labilité émotionnelle (transports émotifs incontrôlés)
– énurésie (pipi au lit)
– syndrome de Tourette (tics musculaires et vocaux)
– hypocondrie
– agressivité
– syndrome prémenstruel
– dépression profonde
– migraine
– trouble obsessionnel compulsif
– excès de poids

- peur panique
- jalousie pathologique
- stress post-traumatique
- schizophrénie
- dépression saisonnière
- conduite autoagressive
- paralysie du sommeil (paralysie survenant avant l'endormissement ou au réveil)
- phobie sociale (peur extrême des situations sociales)
- syncope

Effets indésirables à l'emploi des antidépresseurs :

Les antidépresseurs Tricycliques :
- sécheresse de la bouche
- constipation
- troubles de l'accommodation visuelle
- hypotension orthostatique
- troubles de la conduction cardiaque
- prise de poids

Les antidépresseurs Imao : ils imposent un régime alimentaire particulier et interdisent certaines associations médicamenteuses.

Les antidépresseurs Atypiques :
- nausées, gastralgies
- parfois risque d'insomnie ou excitation
- somnolence

Les Irs :
- nausées
- diarrhée, anorexie, réactions allergiques
- anomalie métabolique sur le plan hépatique

Le pouvoir de l'esprit à travers le placebo

*Ce n'est pas de vivre selon la science qui procure du bonheur
ni même de réunir toutes les sciences,
mais de posséder la seule science du bien et du mal.*

Platon

Placebo : préparation pharmaceutique (pilules, cachet, potion, etc.) dépourvue de tout principe actif et ne contenant que des produits inertes.

Extrait du *Dictionnaire des termes de médecine*.

Avant la mise en vente de tout médicament et sa libre circulation sur le marché sont effectuées de nombreuses études. Ces études ont pour but de distinguer la durée de vie des produits, leur vitesse d'élimination, leur délai d'action, etc. Par ailleurs et surtout, elles ont pour but de prévenir les laboratoires sur les effets secondaires ou indésirables à la prise de certaines molécules, voire même sur la contre-indication chez certaines personnes sous peine de connaître de graves incidents. Ces études sont toujours réalisées « en double aveugle ». C'est-à-dire que l'on remet à deux groupes le médicament censé les guérir. Ils sont donc persuadés de prendre le médicament convenu. Ces groupes reçoivent le même commentaire sur l'antidépresseur X. Par la suite, et après absorption, ces deux groupes répondent à un vaste questionnaire sur les effets ressentis à la prise du comprimé. Le plus étonnant est que le groupe Placebo se voit la plupart du temps soulagé presque autant que le groupe ayant avalé un principe actif. Le groupe Placebo reconnaît de plus avoir subi des effets secondaires indésirables (que l'on nomme effets nocebo). Or c'est impossible, puisque le comprimé ne contient qu'une matière inerte. Il apparaît ainsi clairement que le groupe placebo réagit aussi intensément que le groupe traité. Mystère ? Non, répondent les analystes. Il semblerait selon Walter Brown [1] que « la détresse psychologique agit sur le système immunitaire en affectant la sécrétion de glucocorticoïdes et d'autres hormones qui jouent un rôle clé dans la guérison du sujet ». Le placebo, diminuant le stress, renforce donc le système immunitaire et contribue à l'amélioration du sujet.

On notera alors que le simple fait de persuader le sujet d'une éventuelle guérison par n'importe quel moyen (moyen employé par bon nombre de charlatans : magnétiseurs, guérisseurs, etc.) suffit à amener celui-ci à s'autoguérir. Le thérapeute tient alors une place essentielle et un rôle de « guérisseur » unique en son genre. D'après le docteur Racinet [2], « la croyance du médecin dans l'efficacité de son traitement et la confiance du patient à son égard agissent synergétiquement l'un sur l'autre ».

L'ouvrage du psychiatre Patrick Lemoine intitulé *Le Mystère du placebo* oriente notre conclusion dans ce même sens. Ce médecin affirme et prouve après avoir mené une étude sur 19 groupes en double aveugle, avec un total de 2 318 patients, portant sur l'administration de différents antidépresseurs, que seuls 25 % des réponses pouvaient être attribués aux effets des médicaments en question !

Au vu de ces résultats incroyables et des vertus magiques du placebo, on s'attend à de véritables recherches. Or, à ce jour, pour les laboratoires pharmaceutiques mondiaux, étudier le placebo et son pouvoir, c'est purement et simplement mettre la clé sous la porte ! Il nous faudra donc languir encore quelques années afin que soit incontestablement démontré le pouvoir de l'esprit sur le corps. Notre pouvoir à nous autoguérir.

Retenons tout de même quatre facteurs fondamentaux en ce qui concerne l'efficacité d'un médicament antidépresseur. Leur influence

1. Walter Brown : psychiatre.
2. Dr Racinet : médecin généraliste.

sur notre cerveau-esprit agit d'autant plus qu'ils combinent les points suivants :

– le nom du médicament : Effexor aura plus d'impact sur votre dépression que « Cauchemardexor » !

– la forme, la couleur du comprimé ainsi que le code graphique de la boîte. Exemple : les pilules de Tranxène sont roses, le Lexomil est blanc (synonyme de pureté) ;

– le discours entendu lors de l'ordonnance et la délivrance de ce médicament : « Vous verrez, il est très efficace, vous serez parfaitement détendu » plutôt que : « Essayons cet antidépresseur » !

– votre entourage. Si vous entendez : « Ah, tu prends du X, il est nul. Sur moi, il n'a eu aucun effet », vous ôtez 50 % du pouvoir de l'antidépresseur ! N'en parlez pas.

En résumé, il vous faut réunir ces quatre facteurs clés plus un dernier, primordial : le vôtre. Votre conviction. Vous devez donner à votre médicament antidépresseur le pouvoir de vous guérir. Vous devez y croire dur comme fer et éviter de vous ruer sur la carte poso de celui-ci (à l'intérieur de la boîte) pour ne pas vous suggestionner les effets indésirables de celui-ci.

Les régulateurs d'humeur

*Le médicament reste le principal symbole
de la puissance du médecin.*
Denis Jaffé

Cette classe de psychotropes est utilisée pour le traitement des dépressions de type maniaco-dépressif, c'est-à-dire alternance d'une période d'euphorie-exaltation avec une période de type mélancolique. Ils sont délivrés selon des cas stricts. Ils sont issus d'un principe actif particulier : le lithium. On les surnomme également normothymiques ou encore atymorégulateurs. Leur principale fonction et qualité : stabiliser et réguler l'humeur. Leurs contre-indications et leurs effets secondaires sont nombreux.

Attention : ces substances dénommées aussi stabilisateurs d'humeur sont vouées à réduire les fluctuations d'humeur. Ces produits doivent faire l'objet d'une surveillance constante (bilans sanguins), afin d'éviter tout incident.

Liste des médicaments en circulation :
– Tégrétol
– Depamide
– Théralithe
– Neurolithium

Effets indésirables (possibles) des régulateurs d'humeur :
– somnolence, vertiges
– nausées, diarrhée
– bouche sèche
– réaction cutanée

Les psychotropes

La différence entre les psychiatres et les autres malades mentaux,
c'est un peu le rapport entre la folie convexe et la folie concave.
Karl Kraus

Les tranquillisants

La France est le pays détenteur du titre de champion du monde de consommation de tranquillisants. Les anxiolytiques comprennent environ quinze médicaments de la famille des benzodiazépines, trois formes de carbamates et cinq autres produits.

Ces substances offrent une action sédative. Elles diminuent la peur, l'anxiété, l'angoisse, voire la douleur pour certains cas.

Leurs effets indésirables pour une consommation à plus ou moins long terme sont :

– la perte ou les trous de mémoire (des faits récents) ;

– le risque de dépendance ainsi qu'un syndrome de sevrage à l'arrêt brutal du traitement.

Mon expérience

Mon antidépresseur fut couplé avec du Tranxène. Cet anxiolytique m'a permis maintes fois de soulager ma souffrance. Lorsque les pleurs étouffaient ma gorge et mes poumons, seuls ces comprimés m'apaisaient. Pour quelques heures... Ce n'était pas une solution, j'en étais parfaitement consciente. C'était une bouée de sauvetage. Il faut avaler ces calmants en dernier recours. Ne pas banaliser ces cachets. À la longue, combien de neurones détruisent-ils ? Personne n'en sait rien après tout. Ce que je peux affirmer en ce qui concerne ce calmant en question, c'est que lorsque j'ai souhaité arrêter, je ne fus dépendante ni physiquement, ni moralement. J'ai réduit les doses doucement pour éviter ce que l'on appelle l'effet rebond. En revanche, on m'a proposé quelquefois certains somnifères. Je les ai rejetés en bloc. Pas question. Là, il y a risque d'accoutumance. Ces produits sont à utiliser si on ne ferme pas les yeux de la nuit. Dans mon cas, je préférais me lever jusqu'à quatre fois par nuit et ne pas avoir recours à ce style d'« anesthésie cérébrale ».

Classification des psychotropes

(selon la classification de Delay et Deniker)

	Action sur le psychisme	Classe thérapeutique	Indications
Psycho-leptiques	Diminuent l'activité psychique. Action sédative.	Anxiolytiques « tranquilisants » action sédative sur l'anxiété	– Névroses – États anxieux – Accessoirement psychoses et états dépressifs
		Hypnotiques : provoquent le sommeil	– Insomnie
		Neuroleptiques : actions antipsychotique ↓ activité délirante ↓ activité ↓ agressivité	– Psychoses – États maniaques – Agitation
Psycho-analeptiques	Augmentent l'activité psychique.	Antidépresseurs : « normalisent » l'humeur dépressive	– États dépressifs
		Psychostimulants : stimulent	– Asthénie
		Régulateurs d'humeur	– Psychose maniaco-dépressive
Psycho-dysleptiques	Modifient l'activité psychique.	Hallucinogènes (LSD)	Aucune utilisation thérapeutique
		Stupéfiants (morphine et dérivés)	– Douleur (cancers)

Soyez conscient et responsable. Ne prenez aucun médicament à la légère. Il faut lire la notice méticuleusement. Vous renseigner auprès de la pharmacie sur le référencement du produit. Si celui-ci est classé « Tableau rouge », vous avez compris, c'est un produit majeur. En ce qui concerne les antidépresseurs, aucun danger, il n'y a ni dépendance ni accoutumance. Les médecins et laboratoires sont formels.

Classification par molécules

Les carbamates

Le principal représentant étant le méprobamate :

MÉDICAMENTS	MOLÉCULES DANS LE SANG	DURÉE DE VIE
Équanil et Procalmadiol Statran	Le méthyl-penthyl-carbamate	12 heures
Noblivon	Le carbamate de methyl-penthy-nol	12 heures
Modéril	Le butésamide	12 heures

Les benzodiazépines

Le principal chef de file est le diazépam :

MÉDICAMENTS	MOLÉCULES DANS LE SANG	DURÉE DE VIE
Lexomil	Bromazépam	20 heures
Librium	Chlordiazépoxide	50 heures
Lysanxia	Prazépam	65 heures
Nordaz	Nordazépam	55 heures
Praxadium	Nordazépam	55 heures
Séresta	Oxazépam	8 heures
Sériel	Tofisopam	8 heures
Témesta	Lorazépam	12 heures

Médicaments	Molécules dans le sang	Durée de vie
Tranxène	Clorazépate	70 heures
Urbanyl	Clobazam	20 heures
Valium	Diazépam	32 heures
Vératran	Clotiazépam	4 heures
Victan	Loflazépate	70 heures
Xanax	Alprazalam	12 heures

Nouvelle molécule non benzodiazépine :

Buspar	Buspirone	Durée d'action > 12 heures

Autres groupes de moindre importance parmi lesquels les dérivés pipérazinés :

Atarax (hydroxyzine)
Olympax (diphécloxazme)

Autres tranquillisants dont :

Taciline (benzoctamine)
Nirvanil (valnoctamide)
Opalène (trimétozine)

Les hypnotiques

Molécule couramment utilisée contre l'insomnie et l'induction du sommeil (difficulté à l'endormissement)

Deux familles

1. Les barbituriques : utilisés lors des anesthésies.

2. Les hypnotiques non barbituriques comprenant :
   – les phénotiazines
   – les imidazopyridines
   – les cyclopyrolones

Durée maximale réglementaire de prescription médicale et d'utilisation de ces médicaments : deux semaines ; ces produits entraînant une dépendance et une accoutumance.

Liste des médicaments en circulation :

Les benzodiazépines :
Halcion
Mogadon
Noctamide
Normison
Nuctalon
Rohypnol

Les imidazopyrides et cyclopyrolones :
Imovane
Stilnox

Les phénotiazines :
Mépronizine
Noctran
Nopron
Théralène

Effets indésirables et possibles à l'emploi des hypnotiques et des somnifères

Passivité et asthénie.
Ralentissement physique et moteur.
Troubles de la mémoire (pour les traitements au long cours).
Sevrage très progressif sous peine d'un effet rebond de l'anxiété ou de l'insomnie.
Dépendance tant physique que psychique.

Les neuroleptiques

Une trentaine de neuroleptiques sont commercialisés en France. La chlorpromazine est la première de cette famille : le Largactil.

Tous les neuroleptiques possèdent les propriétés du Largactil à savoir : ralentissement de la motricité, ralentissement de la capacité à penser et concevoir, création d'un état d'indifférence psychique.

Ces propriétés serviront aux pathologies dépressives à reflet psychotique. Elles seront de même employées pour calmer les agités, les anxieux non apaisés par les anxiolytiques. Leurs effets secondaires sont pour la plupart : prise de poids, perte de la libido, arrêt des règles possible, perturbation de la vigilance et apparition de mouvements anormaux, involontaires.

Liste des médicaments en circulation
(à l'exception des neuroleptiques à action prolongée)

NEUROLEPTIQUES	FONCTIONS
Barnetil :	sédatif, action rapide
Clopixol :	sédatif
Dipipéron :	actif sur l'agressivité
Dogmatil :	désinhibiteur et sédatif
Droleptan :	très sédatif, action rapide, actif sur l'agitation
Fluanxol :	sédatif

Neuroleptiques	Fonctions
Haldol :	sédatif et antihallucinatoire
Largactil :	sédatif
Leponex :	sédatif
Loxapac :	sédatif
Majeptil :	sédatif
Melleril :	actif sur l'agressivité
Modécate :	sédatif
Moditen :	sédatif
Neuleptil :	actif sur l'agressivité et les troubles de caractère
Nozinan :	très sédatif, action lente
Orap :	sédatif
Piportil :	désinhibiteur
Risperdal :	polyvalent
Solian :	polyvalent
Tercian :	sédatif
Terfluzine :	désinhibiteur
Théralène :	sédatif, utilisé comme hypnotique
Triapridal :	actif sur l'agitation et l'agressivité
Trilifan :	désinhibiteur
Tripéridol :	désinhibiteur
Zyprexa :	polyvalent

Les traitements antidépresseurs
en dernier recours

L'habitude du désespoir est pire
que le désespoir même.
Albert Camus

La sismothérapie (ou électrochocs)

Cette méthode fut mise au point en 1938 par Cerletti et Bini.

Le but : produire artificiellement une crise d'épilepsie. On utilise alors le courant électrique comme agent convulsivant.

L'électrochoc est pratiqué sous anesthésie et après curarisation. La cure d'électrochocs comporte habituellement six à huit séances, parfois davantage.

Les indications

Malgré l'agressivité de cette méthode, elle fait pourtant l'unanimité quant à son efficacité sur les cas suivants :

– au cours des dépressions mélancoliques sévères (douleur morale intolérable, importance du délire de culpabilité) ;

– chez le sujet âgé, s'il ne peut se soumettre à un traitement antidépresseur pour des raisons de contre-indications médicales ;

– lors d'échecs des traitements chimiothérapiques habituels ;

– en cas de tendances suicidaires intenses.

La cure de sommeil

Naissance en 1922, en Suisse, de la narcothérapie sous l'égide d'un certain Klaesi. Cette méthode provoquait un sommeil extrêmement profond et de brève durée. Elle fut utilisée fréquemment dans les années qui suivirent.

Très en vogue dans les années soixante-dix et quatre-vingt, la cure de sommeil est en passe de cesser. En effet, souvent souhaitée par les patients, cette cure ne relève absolument pas d'un soin antidépresseur. Cette demande fréquente induit chez le malade une tendance à fuir ses problèmes, sous surveillance médicale. Elle ressemble bien évidemment à une demande d'amnésie partielle. La durée de la cure est variable de cinq à dix jours selon les cas. Elle permet une régression totale du patient et une totale prise en charge de celui-ci, au moment des repas et pour la toilette. À ce jour, les psychiatres ont délaissé cette méthode, au profit de procédés thérapeutiques différents. En effet, les médecins se sont aperçus qu'au terme de cette cure de sommeil apparaissait un état de fatigue latente, pouvant persister quelques mois. Les inconvénients sont donc plus nombreux que les avantages. Le « réveil » du patient est également source de conflit, car il doit accepter de reprendre le chemin de la vie, d'être catapulté froidement dans le quotidien.

Antidépresseurs non chimiques

*Le désespoir a ceci de commun avec l'espérance
qu'il est aussi une illusion.*
Lu Xun

La phytothérapie

De nombreux naturopathes recommandent l'utilisation de certaines plantes aux vertus antidépressives. Parmi l'ensemble de celles-ci, l'une d'elles paraît d'une bonne efficacité : le millepertuis. Ces préparations à base de plantes sont des traitements pouvant réduire l'épisode dépressif léger. Il est nécessaire de parler de l'utilisation de celles-ci comme de toute médication à votre médecin. Sachez, par ailleurs, que si vous êtes sous traitement, vous ne pouvez pas avoir recours en plus à la phytothérapie.

Anxiété : kawa, ballote, houblon.
Cauchemars : coquelicot, lavande.
Dépressions : millepertuis, houblon.
Insomnie : aubépine, valériane.
Difficulté d'endormissement : aubépine, escholtzia.
Nervosité-stress : aubépine, kawa.
Sevrage des benzodiazépines : aubépine, passiflore.
Stress : kawa, aubépine.
Plantes sédatives et relaxantes : passiflore, saule, basilic, thym, valériane, aubépine, coquelicot, ballote, mélisse, tilleul.
Plantes hypnotiques : aubépine, mélisse, lotier, passiflore, pavot jaune de Californie, valériane.

Plantes antidépressives : coriandre, eleuthérocoque, lavande, millepertuis.

Le millepertuis fait l'objet de nombreuses prescriptions en Angleterre et en Allemagne où il fait ses preuves comme traitement antidépresseur. Néanmoins, je conseillerais aux futurs « apprentis phytothérapeutes » d'aller visiter leur médecin avant de jouer les apprentis sorciers. Cela dit, en Allemagne, les médecins prescrivent majoritairement le millepertuis pour éradiquer les dépressions bénignes et moyennes. Cette plante voit son succès grandir de jour en jour en France. Compte tenu du manque d'études, les laboratoires français restent encore assez perplexes sur l'utilisation de cette herbe magique, préférant de loin les antidépresseurs classiques ayant fait leurs preuves !

Voici néanmoins les différents dosages existant en France, en vente libre :

Millepericum
Laboratoire Phildev
Contenant 140 mg d'hypericine

Arkogélules Millepertuis
Laboratoire Arkopharma
Contenant 190 mg d'hypericine

Millepercine
Laboratoire Depech
Contenant 200 mg d'hypericine

Milpertil
Laboratoire Oligopharma
Contenant 220 mg d'hypericine

Millprimum
Laboratoire Michel Iderne
Contenant 350 mg d'hypericine

Description détaillée

L'aubépine :
– calmante, déstressante
– diminue les palpitations cardiaques des personnes anxieuses
– réduit la nervosité et l'anxiété, traite les troubles du sommeil

L'avoine : particulièrement recommandée pour lutter contre les états d'anxiété, d'agitation, de stress et d'énervement

La valériane : excellente pour lutter contre l'insomnie ou la difficulté liée à l'endormissement

La ballote :
– possède des propriétés anxiolytiques et antidépressives
– favorise l'endormissement

Le coquelicot :
– effets sédatifs marqués
– diminue l'anxiété excessive et l'émotivité

L'escholtzia :
– hypnotique
– offre un sommeil réparateur
– supprime les cauchemars
– vertus anxiolytiques et sédatives

La passiflore : plante extrêmement efficace pour les dépressions anxieuses avec une nette tendance à l'agitation

La mélisse : plante sédative, agit comme régulateur des troubles digestifs

Le pavot jaune de Californie : plante sédative, antispasmodique

Plantes antidépressives

L'avoine : agit sur la fatigue physique et psychique

La marjolaine : agit sur la dépression et ses troubles neurovégétatifs

La lavande : équilibre, calme et apaise

La ballote noire : antidépressive légère

La sauge : plante stimulante

Plantes hypnotiques favorisant le sommeil

La verveine : outre ses vertus digestives et relaxantes, elle offre un sommeil réparateur

Le tilleul : sédatif

Le houblon :
– favorise le sommeil
– régularise l'humeur des personnes déprimées

Le kawa-kawa : agit nettement sur l'anxiété sans provoquer de somnolences

La lavande :
– effet sédatif sur le système nerveux
– hypnotique léger

La passiflore :
– sevrage d'anxiolytique
– restaure un sommeil de qualité
– supprime l'anxiété, la nervosité et l'angoisse

La valériane :
– action sédative
– agit sur les troubles du sommeil, l'anxiété et l'angoisse

En complément, pour vous aider à un apaisement immédiat, recourez aux élixirs floraux du docteur Bach.

Vous pouvez utiliser jusqu'à cinq élixirs floraux. Prudence : il est préférable de consulter un naturopathe si vous envisagez de les combiner à d'autres traitements antidépresseurs.

L'iridologie

Technique scientifique qui permet par l'examen de la partie colorée de l'œil, appelée iris, d'apprécier l'état de santé du patient.

L'iridologie est née au XIXᵉ siècle grâce au Hongrois Peczely. Son premier livre fut édité en 1880.

Suite à l'injection et à l'absorption de différents produits et sub stances, les iridologues notèrent l'impact de ceux-ci dans l'iris de leur patient. Selon la nature du produit injecté, l'iris se modifiait très clairement. Cette véritable science était née. Poussant ses recherches, Peczely a établi le lien essentiel entre l'iris et le corps. L'iris est relié par le système nerveux à chacune des parties du corps. Il fonctionne alors comme un vrai tableau lumineux. Recevant les informations diverses, l'iris émet des signes révélateurs, selon l'organe touché ou impliqué. Apparaissent ainsi à la surface de l'iris des taches de différentes couleurs et formes, des stries plus ou moins rapprochées. Le blanc de l'œil se perturbe également. La forme de l'iris apporte encore d'autres informations.

L'iridologie* permet de mettre en relief :
- les constitutions
- les terrains
- les perturbations du métabolisme
- les inflammations ou irritations
- l'état de l'ensemble des organes
- l'état du système nerveux
- la vitalité
- la nature, l'ancienneté, la qualité et le lieu des surcharges toxémiques

---

* Pour connaître les iridologues en France, tapez IRIDOLOGIE sur le 3611 (Minitel) ou IRIDOLOGIE sur Internet via les moteurs de recherches.

Mes outils antidépression

Conquérir sa vie vaut mieux que de s'abandonner à sa tristesse.
André Gide

L'harmonisation de vos cinq sens

La vue par « la color-thérapie »

La couleur possède un pouvoir énergique sur notre fonctionnement et notre capital énergétique. Dépressifs, souffrants, fatigués, tendus, déprimés ou mal en point, entourez-vous de couleurs bienveillantes et relaxantes tant pour votre intérieur que pour votre manière de vous habiller. La sensation reçue par l'intermédiaire de l'œil, de la vision d'un élément coloré est unique en son genre. Qui n'a pas ressenti une merveilleuse sensation de plénitude en admirant une mer d'un bleu splendide, ou qui ne s'est pas délecté de la vue d'un coucher de soleil avec ses déclinaisons d'orangés, de roses ou de rouges ? Grâce aux recherches menées par le physicien Isaac Newton au début du XVIIIᵉ siècle et par Goethe, le poète allemand dans son traité des couleurs, nous sommes maintenant amenés à penser que les couleurs détiennent des propriétés particulières : le bleu calme, apaise, c'est une couleur idéale pour la relaxation. Le rouge est stimulant. Le vert, à mi-chemin entre le rouge et le bleu, est une couleur rassurante, humaine. Le blanc signifie la pureté, on peut même aller jusqu'à dire « qu'il nettoie le cerveau ». Tous les tons allant du jaune à l'orangé en passant par l'ocre sont des couleurs apportant générosité, chaleur, caresses et vitamines. Le violet et les couleurs prune sont plus voués à la quête spirituelle et plutôt déconseillés aux déprimés et aux anxieux. Le jaune réveille l'intellect et l'intelligence mais charge le foie. Le rose est propice à l'amour, au printemps, à la délicatesse. Vous qui êtes dépressif, utilisez les couleurs comme remèdes naturels. Ainsi, si vous passez le plus clair de votre temps dans votre chambre, environnez-vous de taies orange-mandarine pour un retour de vitalité et placez un foulard rouge près de votre table de nuit pour retrouver l'énergie physique qui vous fait défaut. Faites-vous acheter un dessus de lit en coton blanc pour vous tranquilliser. Pour les moins apathiques, utilisez plutôt la couleur bleue, douce et bienveillante. Mais évitez dans une même pièce le désordre des couleurs (beaucoup de couleurs opposées), elles empêcheraient votre esprit de se clarifier et engendreraient une certaine confusion.

L'énergie par le Feng Shui*

Ce terme nous vient de Chine. Vous avez sans nul doute constaté que dans une pièce, un trop-plein d'objets lourds encombrait votre passage et par conséquent épuisait votre énergie. Le Feng Shui découle de ces constats simples. C'est un art du placement des objets, de la décoration et, pour pousser plus loin, un art de la situation géographique d'un appartement ou d'une maison (notons l'influence négative que peut avoir la proximité d'hôpitaux, de cimetières, de décharges publiques, etc.). Ce que veut nous dire le Feng Shui, c'est que *tout est vivant* (même les meubles). Tout est relié au tout, et tout change. Il nous incite également à nous relier au Ying et au Yang, c'est-à-dire aux deux pôles uniques de la nature humaine : le féminin et le masculin. Vous pourrez vous servir de cette science pour marier harmonieusement les éléments et trouver dans leur expression votre bonheur et votre havre de paix. Cette vaste science met à jour plusieurs facteurs essentiels. Nous nous pencherons ici sur les éléments capables de rehausser vos énergies psychique et physique déficientes actuellement. Quels sont-ils ?

– les couleurs, nous l'avons vu précédemment ;
– les miroirs (puissants vecteurs d'énergie) ;
– l'éclairage (dense et scintillant) ;

---

* Feng Shui : terme signifiant vent et eau ou l'art de faire circuler l'énergie.

- le cristal (riche d'ondes vibratoires énergétiques) ;
- les instruments sonores (vitaux) ;
- les éléments vivants (animaux, plantes, poissons, etc).

Un chat est particulièrement recommandé aux dépressifs. Dans les pays asiatiques, ils les surnomment d'ailleurs « les mange-chagrin » car ils viennent presque instantanément se positionner sur le chakra du cœur ;

- les objets naturels (bois, osier, teck...) ;
- l'eau, les petites fontaines ou cours d'eau, les ruisseaux, les objets d'art.

Il faudra donc harmoniser vos pièces en adoptant un éclairage intense mais chaleureux (une pièce trop sombre éteint votre énergie, une pièce trop lumineuse excite votre attention). À vous de savoir doser et trouver le juste milieu.

Entourez-vous également d'objets ou de photos vous remémorant des moments délicieux ou des instants où vous étiez au top de votre forme (il y a en a sûrement), ou encore des photos de paysages qui vous soulagent ou vous font du bien.

L'odorat par les effluves parfumés

Ajoutez à cela des bougies parfumées au jasmin, à la fleur d'oranger, à la lavande qui relaxeront vos narines et votre cerveau. Chacun de vos sens doit se trouver en paix. Tel est le but. Chaque pièce ainsi « relookée » apportera un réel bienfait à l'organisme et au moral en général, tant pour vous que pour votre entourage ou vos invités.

L'ouïe par la musicothérapie

De nombreuses études sont en cours pour prouver l'influence de l'écoute de tel ou tel son pour favoriser la guérison. La sophrologie utilise déjà la musique pour relaxer ses patients, de même que des cassettes d'autohypnose (exploitant ces sons guérisseurs) sont en circulation, car elles offrent de vrais résultats. Avez-vous noté dans quel état vous vous trouviez en écoutant du hard-rock ou à l'inverse de la musique classique ? C'est donc que vous acceptez le pouvoir magique de la musique. Je l'utilise moi-même chaque jour pour m'accorder ou me réaccorder avec un sentiment de paix ou de plénitude. Comme une berceuse, elle se chargera d'améliorer votre manière de voir la vie et, bien qu'elle ne résolve pas tout, elle permet d'alléger votre souffrance. Notre esprit vagabondant davantage, il se crispe moins. Les veines se détendent. L'énergie circule plus amplement.

Le toucher par les matières

Choisissez des matières douces et nobles. Le coton pur, la soie, le satin, un plaid en cachemire pour les soirées d'hiver. Tout ce que vous êtes amené à toucher doit être doux et sensuel. Cela vous rappellera que le monde extérieur peut aussi être source de douceur, d'amour et de réconfort.

La bouche par la délectation

En dépression, je n'avais pas le courage de faire mes courses, comme tout dépressif qui se respecte. J'ai dû trouver un autre moyen. Me faire livrer. Je n'avais qu'un appel à passer. Mes courses étaient devant ma porte. Aujourd'hui, toutes les villes sont à proximité d'un hypermarché. Vous pouvez user de ce service moyennant un supplément de quarante francs et vous nourrir correctement. Faites-vous plaisir. Moi, je savourais en quantité des biscottes grillées agrémentées de chocolat extra-noir de dégustation avec éclats de fèves de cacao (85 % de cacao). Ce n'est pas parce que l'on a envie de pleurer que l'on doit se laisser mourir de faim. Évidemment, ne tomber dans aucun extrême serait préférable. Si vous êtes victime d'anorexie ou de boulimie, en plus de votre dépression, n'hésitez pas à en parler à un nutritionniste (il y en a dans tous les hôpitaux) ou à votre psy, car il existe en effet des antidépresseurs qui modèrent ou favorisent le retour d'appétit. Et ne vous découragez pas, un dérèglement alimentaire va en général de pair avec une dépression. C'est l'un qui précède l'autre, ou l'inverse.

Mes exercices antidépresseurs à pratiquer chaque jour

Se forcer à passer au moins un appel téléphonique.

Prendre une douche et terminer par un jet d'eau tiède, froide, puis glacée, sur le sommet du crâne.

Se frictionner le cuir chevelu avec les mains.

Se masser la nuque, les sourcils ainsi que le cercle de l'œil.

Appuyez avec l'index sur le troisième œil : point situé entre les deux yeux.

En cas de sommeil important, tenter de s'imaginer au top de sa forme, beau, serein, dans un lieu qui rappelle un moment de bien-être total. Puiser dans cette énergie et s'endormir sur ces images.

Se forcer à s'habiller même pour une demi-heure.

Écouter de la musique douce au Walkman (plus puissant).

Se défouler sur son oreiller en criant toutes sortes d'insanités.

S'allonger sur le sol, les bras écartés. Ne penser à rien. Fermer les yeux. Puiser la force de la terre.

Se forcer à répéter matin, midi et soir à haute voix : «Je guéris miraculeusement. Je guéris complètement. Tout mon corps se régule parfaitement. Mon traitement me convient à merveille. Je suis sur la bonne voie. Tout va bien dans le meilleur des mondes. »

Pratiquer la chandelle pendant dix minutes. Puis poser ses pieds contre le mur. Laisser le sang réirriguer son cerveau.

Éclairer les pièces au maximum (halogène).

Porter du blanc autour de sa tête (serre-tête tennis, foulard blanc, chemise blanche). Le blanc apporte la quiétude et la pureté.

Se parfumer, même couché !

Masser ses pieds avec de l'huile d'amande douce.

Pratiquer le calcul mental. Refaire toutes les tables de calcul.

Masser la rétine et pratiquer l'exercice de l'éclipse : fixer sans ciller une lumière puissante, de préférence le soleil, compter jusqu'à quatre, puis fermer les paupières. Compter jusqu'à quatre. Renouveler cet exercice cinq fois. Ces mouvements permettent de redynamiser l'hypophyse et la glande pinéale *(voir chapitre : Le cerveau, mode d'emploi, p. 183)*.

Oxygéner le cerveau. Fermer une narine. Avec l'autre, inspirer en comptant jusqu'à quatre. Expirer, toujours une narine fermée, en comptant toujours jusqu'à quatre. Changer de narine. Faire trois fois cet exercice pour chaque narine. Puis se reposer et rester allongé.

Prendre un bain chaud le soir. Commencer par une chaleur douce puis augmenter. Cela doit rester supportable. Ne pas le faire après dîner. Rester au moins vingt minutes pour faire remonter le taux de sérotonine (*l'hormone de bien-être, voir chapitre : Le cerveau, mode d'emploi,* p. 183).

Louer les films de ses comiques préférés.

Porter deux montres. Une à chaque poignet. L'heure relie à la réalité.

Se forcer à sourire et crier : ah, ah, ah !! Débile mais efficace. Le faire seul ou avec son conjoint.

Essayer de marcher trente minutes par jour, à l'extérieur, de préférence dans un parc pour enfants. Les regarder s'amuser.

La visualisation positive

La visualisation est une méthode que j'utilise fréquemment. Elle permet la projection immédiate de nos désirs non encore assouvis. Cette pratique laisse à notre imaginaire l'audace de s'exprimer librement. Nous le dirigeons à notre convenance. Le cerveau perçoit ainsi nos différentes suggestions d'une manière insolite, fortement influente sur nos organes et notre corps en général. Sous la forme d'images colorées, le subconscient s'imprime nettement de ces schémas et tente en retour de nous persuader de la véracité de ceux-ci. En dépression, la visualisation est la seule méthode réalisable sans efforts. Moi-même, je me visualisais sautant de joie sur un trampoline, éclatant de rire. La musique de relaxation m'aidait à entrer dans un niveau de conscience modifié (non réceptif aux stimuli externes). Je visualisais « le film de ma guérison ». Par ce témoignage, je veux vous prouver que cette méthode possède un pouvoir exceptionnel. La visualisation utilise également la pensée positive et l'autosuggestion. Nous pouvons donc ajouter des mots (mentalement ou oralement) à notre propre film : « Je retrouve la joie de vivre, c'est génial, etc. » La visualisation doit être rituelle et biquotidienne. La répétition fait la différence.

Exemple de visualisation possible : allongé(e) sur votre lit ou canapé, fermez les yeux. Aucun bruit ne doit venir troubler votre silence intérieur. La lumière est éteinte ou tamisée. Elle vous laisse partir pour un merveilleux voyage. Celui qui vous retrouvera en parfaite santé. Tout en inspirant lentement, sentez-vous projeté en douceur, en dehors de votre corps. Vous vous observez maintenant de l'extérieur. Que voyez-vous ? Une personne triste et en souffrance. Caressez-lui le visage. Rassurez-la. Dites-lui qu'elle va bientôt guérir. Vous êtes à présent en train de flotter dans la pièce. Vous êtes aérien. Comme un oiseau, vous déployez vos ailes, jusque-là étriquées. Vous ouvrez la fenêtre. Vous volez maintenant au-dessus de votre immeuble, puis de votre quartier. Vous y prenez un immense plaisir. Vous êtes vêtu de vos plus beaux vêtements. Vous aimez votre corps. Vous vous plaisez intensément. Vous vous aimez. C'est agréable à souhait. La musique qui vous accompagne vous sert de support magique pour franchir la barrière de vos souffrances physiques et morales. Votre visage est rayonnant. Votre sourire permanent. Une grande fraîcheur inonde à présent votre chambre. Vous voici de retour chez vous, près de votre corps. Vos mains sont chargées d'étoiles multicolores. Vous dispersez comme par magie ces brillants étincelants sur votre visage, votre crâne et tout le long de votre corps. Ces étoiles sont l'amas d'énergies positives que vous avez récoltées pendant votre voyage astral. Vous qui êtes guéri savez comment vous allez trouver les ressources morales nécessaires pour combattre votre mal-être, votre dépression. Retournez progressivement dans votre enveloppe charnelle. Respirez longuement. Vous vous visualisez totalement en paix et amoureux de la vie. Vous êtes guéri. Vous vous en réjouissez à l'avance. Restez quelques minutes dans cet état d'euphorie. Ouvrez les yeux. Votre séance de visualisation est terminée.

La méditation

Couramment utilisée pour atténuer la douleur, elle est le refuge idéal. Pratiquée quelques minutes par jour, elle apporte de réels résultats.

La méditation ou l'art du lâcher-prise. L'oxygène mental.

Cherchez ce souffle millénaire, cet art pratiqué depuis des siècles en Extrême-Orient. Méditation ou distance entre le passé et le futur. L'art de vivre « ici et maintenant ». Les pensées s'envolent. Votre seul programme : devenir pur esprit. Relâchez les tensions de votre organisme. Écoutez ses blocages. Entendez ses messages. Redonnez-lui la paix qu'il mérite. Ces silences salvateurs reposent votre esprit, votre cerveau, vos neurotransmetteurs, le sang qui circule à travers vos veines et artères. Le matériel se disloque. Le détachement provisoire offre le luxe suprême : le retour sur soi. Votre nature profonde. Vos peurs s'évanouissent. La méditation est l'apéritif de la spiritualité. La porte d'entrée de la sérénité et de la prise de recul. La méditation doit être appréciée comme une sucrerie. Douceur de l'âme. Apaisement et sérénité. Confiance en la vie. Votre croissance, votre santé psychique et physique en dépendent. Votre capacité à « vous nettoyer » doit être votre désir. Votre besoin. Celui de souffler. Profondément. Un temps de pause dans un monde de bruits et de fureurs. Comment ? Allongez-vous sur le sol. Installez deux petits coussins, l'un sous votre nuque, l'autre sous vos pieds. Posez un bandeau foncé sur vos yeux. Fermez les paupières. Placez une petite couverture sur votre corps. Écoutez une musique propice à la relaxation et à la méditation : rythmes cardiaques, chants de la nature... Laissez maintenant votre corps devenir léger. Comme une plume. N'ayez pas peur de lâcher prise. Ayez confiance. Sentez palpiter sereinement chacun de vos battements. Percevez vos bruits intérieurs. Chassez de votre esprit toute image, toute pensée, tout souvenir, toute angoisse, toute crainte. Laissez-vous entraîner par ces sons mélodieux, doux, sons qui vous tranquillisent. Voilà, doucement, vous entrez dans la paix et la lumière. Ne pensez à rien. Vos yeux sont toujours fermés. Maintenant, vous respirez, vous respirez longuement, tendrement. Vous exprimez le vœu de vous décontracter complètement. De laisser au-dehors toutes vos pensées de frustrations, vos anxiétés, tristesses et colères. Elles disparaissent de votre mental. Votre cerveau devient transparent comme de l'eau claire. L'eau d'une source. Pure et calme. Vous êtes un lac. Paisible et lisse. La source de vie curative peut maintenant réamorcer votre régénération cellulaire. Restez dans cet instant à part, ce havre de paix et de grâce pendant une quinzaine de minutes. Puis, muscle par muscle, reprenez possession de la réalité, du présent. Votre respiration se fait plus rapide. Ouvrez les yeux. Relevez-vous doucement. Asseyez-vous sur le sol en position du lotus, les paumes et les yeux vers le ciel. Restez immobile quelques minutes dans ce moment de reconnexion. Expirez et inspirez profondément. Vous vous levez. Votre méditation est terminée. Vous pouvez vaquer à vos occupations. Vous êtes libre et apaisé comme l'enfant.

Les antidépresseurs vitaminiques
(sur prescription médicale uniquement)

Vitamine	Symptômes de carence	Apport journalier recommandé	Doses complémentaires	Principales sources alimentaires
Thiamine (B1)	Apathie, confusion mentale, instabilité émotionnelle, dépression, impression de menaces imminentes, fatigue, insomnie, maux de tête, indigestion, diarrhée ou constipation, perte d'appétit, perte de poids, engourdissement ou sensation de brûlure dans les mains et les pieds (paresthésie), incapacité à supporter la douleur, sensibilité aux bruits, hypotension, anémie, ralentissement du métabolisme, manque de souffle, palpitations cardiaques, élargissements du cœur (à l'examen radiologique).	0,5 mg par 1 000 kcal d'aliments	10 mg par jour	germe de blé, son de riz, levure de bière, son de blé.
Riboflavine (B2)	Langue couleur « magenta », craquelure sur les lèvres et aux coins de la bouche, sensibilité à la lumière, tremblements, étourdissements, insomnie, inertie mentale, yeux larmoyants et injectés de sang, peau grasse se desquamant, vaisseaux sanguins superficiels et points blancs sur la peau, chute des cheveux, cataracte.	10 mg par jour	10 mg par jour	lait, foie, langue, abats, levure de bière.
Niacine (niacinamide)	Peur, soucis exagérés, suspicion, mélancolie, dépression, maux de tête, insomnie, manque de force, sensation de brûlure, comportement amoral, perception sensorielle déformée. Bout de la langue « framboise », de couleur rouge, blanche en surface, avec craquelures au milieu et empreintes dentaires sur les bords. Haleine fétide, inflammations de la bouche, gencives enflées et douloureuses, difficultés digestives. Gaz intestinaux abondants, selles malformées et malodorantes, dermatites (inflammation de la peau), douleurs abdominales.	homme : 18 mg femme : 13 mg enfant : 9 à 16 mg	50 mg par jour	viande maigre, volaille, poisson, arachide, levure de bière, foie séché, germe de blé.
Vitamine B6 (pyridoxine)	Symptômes nerveux voisins de l'épilepsie, hystérie, dépression liée à des bouleversements émotionnels, anémie microcytaire résistante au fer, hypoglycémie, poids excessif dû à la rétention d'eau, desquamation graisseuse autour du cuir chevelu, des sourcils, du nez et derrière les oreilles. Craquelures sur la bouche, la langue et les mains, nausées matinales, insomnie, engourdissement et crampes dans les bras et les jambes.	2 mg	10 mg	viande (en particulier abats), poisson, pain de blé complet, soja, avocat, arachide, noix, fruits frais (en particulier bananes), germe de blé.
Acide pantothénique (pantothénate de calcium)	Fatigue, insomnie, morosité, dépression, douleurs dans le bas du dos, maladies respiratoires fréquentes, parte d'appétit, constipation, agressivité, hypotension, « pieds brûlants ».	10 mg	250 mg	levure de bière, viande (abats), son, arachide, pois : présent dans tous les aliments naturels.
Vitamine B12 (cobalamine)	Anémie pernicieuse (mégaloblastique, macrocytique), dégénérescence nerveuse, engourdissements, fourmillements, démarche incertaine, perte de réflexes, maladies mentales (apathie, changements d'humeur, mauvaise mémoire, concentration et capacité à apprendre perturbées, hallucinations auditives, confusion, paranoïa, psychoses), langue brillante et lisse, fatigue, nervosité, psychose sénile.	6 microgrammes (0.006 mg)	100 microgrammes par jour	viande, volaille, poisson, œufs, levure de bière, produits laitiers.
Acide folique (folacine, folate)	Anémie (mégaloblastique), mauvaise mémoire, apathie, repliement sur soi, irritabilité, ralentissement des processus intellectuels, craquelures et desquamation des lèvres et des coins de la bouche, absorption perturbée.	0,2 mg	0,4 mg par jour	légumes-feuilles

La nutrithérapie au secours
de la dépression et de l'anxiété

La mer c'est comme la vie. On craint toujours le pire,
on est au désespoir, et soudain,
sans qu'on sache trop comment, tout s'arrange.
J.-H. Germain

Tout ce que vous ingérez a le pouvoir d'améliorer votre état ou de l'aggraver

Cela est valable pour les médicaments que nous avalons, l'eau ou le vin que nous buvons, la nourriture que nous consommons tout naturellement.

Qui n'a pas connu une intolérance à un aliment, une intoxication ou, tout simplement, un malaise important suite à l'ingestion d'un aliment ?

La révolution du XXIe siècle, l'aliment devient médicament : « l'alicament »

Des médecins nutrithérapeutes étudient depuis une dizaine d'années le pouvoir de notre alimentation, ses effets sur notre cerveau, nos organes. Passant par les chaînes de production frénétiques et dépourvues du rythme lent de la nature, nos aliments ont perdu beaucoup de leurs nutriments essentiels et, par conséquent, du pouvoir de leurs vitamines et oligo-éléments.

L'influence des aliments sur notre corps est vitale. Notre santé en dépend. Notre vie même. Première hygiène que tout être humain devrait respecter. Les études des nutrithérapeutes ont ainsi démontré qu'un être carencé en calcium, magnésium ou protéines végétales ou animales pouvait être victime de malaises sérieux, menant tout droit à la dépression.

Nous savons par ailleurs que le cerveau consomme beaucoup de nutriments et qu'il privilégie surtout les sucres lents (pâtes et riz complet, céréales complètes). Ainsi irrigué, le cerveau peut s'apaiser, surtout avant les longues nuits de sommeil représentant sept à neuf heures de jeûne.

Ce n'est pas parce que vous n'êtes pas un sportif professionnel qu'il ne faut pas remettre en cause votre alimentation et vous demander si vous vous faites du bien... Ou du mal ?

Le cerveau a besoin de lipides, de glucides et de protides pour pouvoir fonctionner normalement. C'est pourquoi il vous faut optimiser votre traitement antidépresseur en donnant à votre corps les aliments qui lui veulent du bien. C'est tout de même le cerveau qui est « le capitaine du vaisseau ». Il faut donc lui rendre les honneurs qu'il mérite... Qui n'a pas connu une grande lassitude ou un certain mal-être liés à une prise de sang devant être pratiquée à jeun ?

Il s'agit à présent d'apprendre à gérer votre capital énergie comme un compte bancaire. Débiteur, vous connaissez de réels problèmes : agios, appel du banquier, mise en garde. C'est le même phénomène avec votre cerveau. Affamez-le et vous vivrez à crédit.

De plus, personne ne nous a jamais fait l'apprentissage d'une alimentation saine, correcte et équilibrée. Il serait souhaitable que des cours d'hygiène alimentaire soient dispensés dans les lycées. Quand on constate les carences dont souffrent les ados et surtout ce qu'ils avalent à longueur de journée ! Le risque d'obésité plane maintenant sur les jeunes Français. Ne suivons pas l'exemple des États-Unis.

Nous entendons rarement les appels de notre cerveau. Les signaux de détresse qu'il nous envoie. Nous les ignorons. Il nous faut littéralement tomber pour les prendre en compte. Comparons notre cerveau-corps avec notre voiture. Lorsque celle-ci n'a plus de carburant, nous nous en préoccupons, non ?

Nous pouvons retrouver toute notre force psychique et physique en recourant à une alimentation saine. « Un esprit sain dans un corps sain. » Cette phrase bien banalisée n'a pas beaucoup de disciples.

Les dépressions traitées par un antidépresseur recapteur de sérotonine, dépressions où prédominent souvent l'agressivité, l'impatience, les phobies, les dépendances (alcool, tabac, sucré), sont améliorées par la prise des aliments suivants : le gibier, les agrumes, les bananes, le lait et les produits laitiers, les protéines animales (viande, œufs, poisson), les sucres lents (pommes de terre, pâtes et riz complet, céréales, sucre complet), le citron, le germe de blé, les oranges, les pamplemousses, les tomates.

Les suppléments de vitamines sont par ailleurs précieux et fortement recommandés, notamment les vitamines du groupe B *(se référer au tableau,* p. 223*)*, le magnésium et le lithium (présent dans le Perrier notamment).

De même, il faut privilégier les bains chauds, les caresses, la relaxation, le sport, car toutes ces activités font remonter le taux de sérotonine. Nous comprenons pourquoi on devient accro au sport !

Pour les dépressions marquées par l'impression d'effondrement, l'absence de motivation, la sensation de mollesse, il est habile de privilégier une alimentation riche en éléments favorisant la synthèse de la dopamine (qui nous aide à nous lever le matin). Il conviendra alors de faire de nombreux repas (une collation à 11 heures, un déjeuner, un goûter, un dîner et, deux heures plus tard, un petit en-cas).

Attention, il ne s'agit pas de manger n'importe quoi. Vous privilégierez fortement les protéines : œufs, jambon, viandes, poissons et éviterez tous les sucres rapides : bonbons, gâteaux, chocolats, beignets, Coca. Vous vous porterez vers une alimentation riche en fruits secs (pruneaux, figues, abricots secs), fruits crus, légumes que vous cuirez à la vapeur afin de conserver le meilleur de leurs vitamines et protéines de toutes sortes (animales et végétales).

Pour ce qui est des suppléments nutritionnels, il sera valable de compléter votre alimentation en vitamines de toutes sortes, de boire une eau très riche en magnésium, d'avoir un bon quota de vitamines B *(tableau,* p. 223*)* et de vous supplémenter en vitamine C (naturelle, elle est mieux synthétisée par le corps et fait moins de dégâts à notre estomac).

Il est préférable de connaître exactement quelles sont vos carences. Votre généraliste vous prescrira une prise de sang pour rechercher les valeurs fondamentales que sont le fer, le calcium, le magnésium, le potassium, le sodium, les vitamines du groupe B.

Je vous conseillerai par la suite de vous faire suivre par un nutri-thérapeute. Ils sont encore assez peu nombreux mais il en existe quelques-uns en France (alors qu'ils sont légion aux États-Unis). Vous trouverez les adresses en consultant le Minitel ou Internet.

En cas de troubles anxieux, de crises d'angoisse ou de panique, il vous faut apprendre certains points essentiels. Tous les excitants sont à proscrire : tabac, alcool, café, sucres rapides, car ils détruisent considérablement vos réserves de vitamines B (très importantes à votre bien-être et à votre humeur). De plus, ils font fuir le magnésium (si riche pour l'apaisement musculaire et cérébral). Ayez recours à l'alimentation suivante : fruits de mer, oléagineux, chou sous toutes ses formes, céréales complètes, soja, légumineuses et poisson gras, blé, œufs, soja, viande rouge.

Le sport même doux sera également très favorable, car il diminue votre quantité d'adrénaline et fait monter vos endomorphines (les fameuses cellules bonheur).

L'hygiène alimentaire idéale du dépressif

Remplacez les produits industriels par des produits naturels, biologiques et complets : pâtes blanches, riz blanc et sucre blanc raffiné doivent être impérativement remplacés par des pâtes complètes, du riz complet ou riz sauvage et du sucre complet. Les produits industrialisés et raffinés ont perdu tous leurs nutriments vitaux. Nous nourrissant de ces « farines blanches », nous n'apportons rien de substantiel à notre organisme.

Mangez des crudités à tous les repas : seuls les légumes crus vous apportent les vitamines nécessaires au bon fonctionnement de votre organisme : concombre, carotte, fenouil, chou de Bruxelles, salade, endive, courgette, brocoli, champignon, etc. Vous avez un large choix. Ne les noyez pas de sauce vinaigrette, mais accompagnez-les d'un fromage blanc à 0 % de matière grasse, légèrement salé, parfumé avec de la ciboulette.

Mangez vos fruits à distance des repas : en effet, longs à digérer pour l'organisme, ils offrent un meilleur rendement pris à 11 heures et 18 heures.

Foncez sur toutes les protéines animales et végétales : poisson, œufs, jambon à l'os (non gras), soja, boulghour, pilpil, volailles... Ces protéines nourrissent en profondeur vos neurotransmetteurs à rude épreuve au cours de votre dépression.

Diminuez nettement les viandes au profit des poissons : les poissons contiennent des oméga 3 et prolongent notre vie. Leurs graisses sont naturelles et parfaitement tolérées par l'organisme. Peu caloriques, ils permettent une meilleure absorption par votre corps, déjà surmené par la prise de médicaments.

Supprimez tous les excitants : Coca, café, chocolat industriel, thé, au profit de la chicorée, des tisanes et des jus de fruits naturels. Ces excitants donnent de véritables coups de fouet à vos glandes surrénales et à la longue les épuisent. Vous devenez alors dépendant. Votre corps ne rend plus son potentiel sans quatre tasses de café par jour, quelques canettes de Coca le soir et un thé de temps en temps. En dépression, ces stimulants vous sont interdits. Ils interagissent avec votre traitement.

Buvez de l'eau minéralisée : et si possible variez les eaux selon leurs dosages en magnésium (Hépar), calcium (Talians) et aussi Vittel, Volvic, Badoit, Évian, Perrier. Chaque semaine doit apporter à l'organisme une eau riche de minéraux essentiels. C'est elle qui hydrate vos tissus et nettoie votre organisme. Ne buvez pas n'importe quoi. Éliminez évidemment tous les sodas remplis de colorants artificiels aux profits d'eaux comme Volvic citron, Perrier menthe, etc.

N'ingérez pas de boissons alcoolisées pendant tout votre traitement : c'est formellement interdit.

Détoxiquez votre corps grâce à l'emploi de la bouillotte chaude (sauf si vous souffrez d'un réel trouble organique déjà constaté ou soupçonné) :

– la placer à droite sur le foie, pour drainer les toxines liées aux médicaments ;

– la placer sur votre estomac pour diminuer votre stress et vos angoisses ;

– sur les reins et la vessie pour également faciliter la rapidité des échanges.

Attention : votre bouillotte ne doit pas être bouillante. Vingt minutes suffisent. Ne pas utiliser cette méthode tous les jours. Lorsque le besoin s'en fait sentir seulement.

Vous êtes aussi « clinicien »

> *Les grands principes participant du bonheur*
> *sont quelque chose à faire, quelque chose à aimer,*
> *quelque chose à espérer.*
> Allan K. Chaliners

Sachez vous observer durant votre traitement.

Votre langue

Cet organe vital vous permet de saliver, de digérer, de parler, de goûter. Cet organe révèle par ailleurs votre état général.

Examinez votre langue minutieusement : sa forme, son contour, sa couleur, sa surface.

Si votre langue est pâle, voilà un signe d'anémie : carence en fer.

Si elle est plutôt jaunâtre, un excès de bile charge votre vésicule biliaire et votre foie fonctionne mal. Les toxines stagnent.

Si elle a des reflets bleutés (sauf si l'on a ingéré des mûres ou certains autres fruits teintants), vous êtes victime d'une faiblesse cardiaque.

Votre langue doit être lisse, homogène, sans traces de dents sur les côtés, non enflée, sans salissures, au fond du palais ou au-devant. Toutes les toxines en surcharge ne peuvent faciliter votre guérison. Si elles sont présentes, il faut recourir à une diète légère (nourrissez-vous pendant une journée par semaine de tisanes et de soupes de légumes légères, agrémentées de tisanes de gingembre, excellentes pour vous détoxiquer). Comment voulez-vous que le sang qui parcourt vos neurones circule parfaitement s'il est encrassé en ses points vitaux (foie, reins, poumons, rate...).

Votre urine

Elle doit être claire. La seule solution pour éliminer vos déchets est de boire au minimum deux litres d'eau par jour en dehors des repas. Boire pendant les repas fatigue davantage l'organisme qui a alors plusieurs informations à gérer. Votre urine ne doit pas être odorante, sauf parfois le matin. Mais si cela perdure, vos reins sont épuisés, et cela pourrait générer une petite crise de colibacillose (microbes stagnant dans les intestins), d'où des sensations de brûlures et de douleurs à la vessie.

Votre visage

Observez votre visage, vos rides annoncent la couleur. Au milieu des sourcils, les rides indiquent que vos émotions sont réprimées au niveau de la rate et du foie.

Les rides horizontales du front indiquent les soucis. Si vos paupières inférieures laissent voir des poches, ou un certain gonflement, vos reins sont déséquilibrés. Votre teint ne doit être ni grisâtre (intoxication par la cigarette), ni rougeâtre (buveur excessif de vin rouge), ni jaunâtre (faiblesse hépatique). Vos cernes doivent être clairs. Un brun violet incite à consulter.

Vos lèvres

De même que votre langue, vos lèvres sont également révélatrices de votre état de santé. Elles ne doivent être ni fissurées, ni pâles, ni bleues, ni jaunes.

Vos yeux

Tout d'abord, observez votre regard : exprime-t-il la joie, la peur, l'appréhension, la lassitude ou la gaieté ? Filmez-vous. On peut analyser son comportement en utilisant cette sorte de stratagème puisque, devant le miroir, nous sommes statiques... Nous nous arrangeons souvent pour nous regarder dans la meilleure position. Nous trichons. Allez, soyons honnêtes. À vos caméras.

Votre blanc de l'œil doit être blanc justement (s'il est jaune, gris ou rouge, il faut consulter), votre iris ne doit pas être trop brillant (risque de fébrilité). Vous ne devez pas ciller trop fréquemment (signe de grande fatigue). Pour une analyse sérieuse, seul un iridologue pourra vous aider correctement à améliorer vos conditions de vie, d'hygiène et d'alimentation.

Vos ongles

Savez-vous que les ongles sont un résidu des os ? Alors, *idem*, observez leur forme, leur couleur, leur taille, leur souplesse, leur flexibilité, leur friabilité.

Les couleurs de l'ongle nous aident à déterminer certaines maladies : si l'ongle est très pâle, l'anémie prédomine. S'il est jaunâtre, le foie est fragilisé. Si l'ongle est bleuté, les poumons sont légèrement altérés.

Les points blancs sur les ongles soulignent une déficience en zinc.

Les bouts d'ongles très arrondis soulignent des infections pulmonaires à répétition.

Des ongles épais indiquent un cœur et des poumons fragiles.

Les ongles en forme de « bec » de perroquet annoncent des toux chroniques.

Une ligne de dépression transversale indique une maladie chronique ou de la fièvre.

Des stries longitudinales indiquent une mauvaise absorption.

Des ongles à surface striée indiquent des carences alimentaires et une malnutrition.

Votre pouls

Pour prendre correctement votre pouls, maintenez votre bras et vos doigts légèrement pliés, puis, de l'autre main, placez vos trois doigts superficiellement jusqu'à sentir les battements de votre pouls. Les battements du pouls ne correspondent pas exclusivement aux battements de votre cœur. Ils apportent des informations sérieuses et fiables sur les différents méridiens de notre corps, méridiens vecteurs de votre énergie vitale. Ces courants circulent à travers nos veines. Ils traversent par conséquent tous nos organes vitaux : nos reins, notre foie, notre cœur, notre cerveau.

Rythme cardiaque en fonction des âges (en pulsations/minute)
Troisième âge : 65
Lorsque l'on est souffrant : 120
Adulte : 72

De 8 à 14 ans : 80
de 3 à 7 ans : 95
De 1 à 2 ans : 100
De la naissance à l'âge de 1 an : 130
Le bébé après la naissance : 140
Le fœtus : 160

Vos selles

De couleur ni trop foncée, ni trop claire, elles doivent être évacuées chaque jour. Toute constipation au-delà de deux jours doit éveiller votre vigilance. Les toxines stagnant dans votre corps et dans votre sang, les médicaments ou vitamines ne peuvent donc pas être correctement assimilés voire même pas assimilés du tout. Elles ne doivent pas être trop odorantes : signe de putréfaction et de fermentation excessive. La défécation doit se faire sans forcer, naturellement. Lorsque le corps vous fait sentir qu'il a besoin d'expulser quelque chose, où que vous soyez, vous devez être à l'écoute de celui-ci, sinon, à la longue, vous vous exposez à de nombreux problèmes. *Idem* avec l'urine. Ne jamais se retenir. Attention aux laxatifs qui font perdre bon nombre de minéraux essentiels. Les intestins sont la barrière indispensable aux antidépresseurs. Ils doivent être sous haute surveillance. Si vous souffrez de constipation (ce qui peut être dû à certains antidépresseurs sédatifs), parlez-en à votre médecin, et incluez dans votre alimentation davantage de fibres.

Nota bene :
Loi du 27 juin 1990

*C'est bien la pire folie
que de vouloir être sage
dans un monde de fous.*
Érasme

Au cours de mes hospitalisations, j'ai pu constater l'horreur des placements involontaires ou si vous préférez des internements abusifs. Des internements nommés : placement par l'intermédiaire d'un tiers. Une loi existe : « L'hospitalisation psychiatrique sans consentement ». Loi du 27 juin 1990 conformément à l'article L.333 du Code de santé publique.

Lorsque l'état du patient ne lui permet pas de demander son hospitalisation, la loi prévoit qu'une personne de son entourage peut prendre la décision à sa place et dans son intérêt : c'est l'hospitalisation à la demande d'un tiers. À défaut d'entourage et en cas de dangerosité, c'est le préfet, ou le maire, qui prend la décision : c'est l'hospitalisation d'office.

Cette loi ne s'applique qu'aux sujets majeurs.

Cette loi garantit le droit des personnes hospitalisées contre leur gré, de façon autoritaire, en mettant en place un dispositif régulier du bien-fondé de l'hospitalisation. Cette loi est aussi une loi d'assistance du malade mental qui a besoin d'une hospitalisation, qui ne reconnaît pas ses troubles et/ou qui refuse son placement. C'est enfin une loi de protection de la société dans la mesure où le patient est dangereux pour autrui ou pour lui-même.

Que faut-il à ce tiers pour agir ?

1. Une demande manuscrite émanant d'un membre de la famille supposé agir dans l'intérêt du malade.

2. Un premier certificat médical avec mentions obligatoires établi par tout médecin, datant de moins de quinze jours et déclarant que les troubles constatés le jour même empêchent le malade de donner son consentement et nécessitent son hospitalisation. Le médecin ne doit pas être parent ou allié de la personne déposant la demande, ni du directeur de l'établissement d'accueil. Il ne doit pas exercer dans cet établissement.

3. Un second certificat médical établi en toute indépendance par un autre médecin, n'étant ni parent, ni allié du premier et présentant comme lui les mêmes exclusions d'alliance et de parenté.

Si ces conditions sont respectées, le second médecin peut exercer dans l'établissement d'accueil du malade.

Ce certificat contient les mêmes indications que le premier.

Au vu de ces trois documents, le directeur de l'établissement admet le malade pour une période de quinze jours.

Note spéciale : lorsqu'il y a péril imminent, et à titre exceptionnel, deux documents seulement suffisent : la demande et le second certificat.

Ensuite, bien sûr, c'est l'engrenage.

Comme l'entourage de l'interné estime, cela va de soi, que celui-ci n'est plus en état de gérer ses biens, on les lui confisque provisoirement ou définitivement. C'est ce que l'on appelle la sauvegarde de justice, ou encore la mise sous tutelle ou curatelle. Il s'agit d'un régime d'assistance permanente avec perte partielle de l'exercice des droits. Comme l'on considère que les facultés du malade sont altérées, on décide qu'il a besoin d'être conseillé et contrôlé pour tout acte de sa vie quotidienne.

Pire encore, la tutelle, définie comme un régime de représentation par un tuteur, correspond à une incapacité civile totale.

Lorsque les troubles du malade atteignent profondément ses facultés, il a besoin d'être représenté de manière continue dans les actes de la vie civile. Le malade perd aussi ses droits civiques.

Certains actes personnels – donation, mariage, testament –, sont effectués dans des conditions particulières. À titre d'exemple, lorsqu'un patient sous tutelle souhaite se marier, il lui faut, d'une part, l'assentiment de son médecin traitant et, d'autre part, le consentement de son père ou de sa mère, et s'ils sont décédés, l'avis du conseil de famille.

Cette loi est en permanence transgressée et fait l'objet de déviances, d'abus. Elle conduit à de véritables drames humains. J'ai vu trop d'êtres humains déambuler dans des couloirs d'établissements psychiatriques, placés par de gentils « tiers ». Ces hommes et ces femmes n'ont à aucun moment pu se défendre. Ils ont été happés par un système qui les dépasse. Une fois mis sous camisole chimique (de force), ils n'ont plus aucun moyen de se défendre.

Il est impératif de reconsidérer cette loi de 1990 et de la modifier. Présumer d'un homme qu'il est fou et le jeter à « l'asile » sans préavis est inconcevable au XXIᵉ siècle. Tout homme, présumé coupable de folie ou d'autres faits, a droit à un procès et à un jugement. Il est avant tout *présumé innocent d'être fou*. Cette loi inhumaine consiste à interner une personne à partir de deux certificats parfois établis sans même que le malade ait été examiné. *Par ailleurs, tout individu considéré comme « normal » placé chez « les fous » durant plusieurs mois devient effectivement pathologique.*

En résumé, voici ce que devrait être une sentence juste et humaine : le présumé malade doit avoir droit *avant l'internement* à un avocat pour sa défense et au choix de deux médecins pour contredire éventuellement la demande du tiers. Un jugement doit être rendu, un vrai. Envoyer un homme ou une femme sans procès à l'annihilation de sa vie, à sa perte, c'est une abomination.

À toute loi les exceptions sont nombreuses et les cas que j'ai pu rencontrer m'ont permis d'affirmer mes dires.

Guide pratique

*La vie humaine commence par
l'autre côté du désespoir.*

Jean-Paul Sartre

Les sites Internet

Les hommes sont si nécessairement fous, que ce serait être fou,
par un autre tour de folie, de n'être pas fou.
Blaise Pascal

À visiter

Dépression, toxicomanie, aide et thérapie
Informations et services d'aide, de thérapie et prévention de la rechute.
http ://bcandide.tripod.com/protherapie.html

Dépression et suicide
Comment reconnaître les signes de détresse et aider à prévenir le suicide ?
http ://www.hc-sc.gc.ca/flash/suicide

Dépression, anxiété, colère
Quelques conseils psychologiques pour surmonter la dépression, l'anxiété et la colère.
http ://www.geocities.com/HotSprings/3475

Infosuicide
S'informer, dialoguer pour agir.
http ://www.infosuicide.org/

Site sur la maniaco-dépression
Informations, traitements, causes, témoignages, conseils.
http ://www.multimania.com/boblouze/

Aide psychologique ou évolution personnelle
Pourquoi entreprendre une psychothérapie ?
http ://www.multimania.com/psygv/

Recherches et rencontres
http ://www.recherche-rencontres.org/

Les difficultés de l'attention
Anxiété, dépression, hyperactivité, opposition, comportements difficiles et échecs répétés.
http://www.aei.ca/-claudej/

Les conseils du psychologue Bruno Fortin
Conseils pour mieux vivre, vaincre la dépression, l'anxiété, la solitude, le stress.
http://www.geocities.com/HotSprings/3475/index2.html

Accueil et informations sur les psychothérapies
Informations sur toutes les questions concernant les psychothérapies.
http://www.psychothérapies.org/

Rencontres – amour – amitié
Site réservé aux personnes ayant connu la dépression et désirant se rencontrer ou simplement correspondre en échangeant leur adresse e-mail.
http://perso.club-internet.fr/heral/

Renseignements sur le suicide
Déprimé ou suicidaire ? Renseignements sur ce que vous devez faire si vous vous sentez démoralisé ou sur comment aider un ami ou un parent, comment trouver un service d'assistance téléphonique dans votre région.
http://www.suicideinfo.org/french/

Aide offerte à tous ceux en quête d'une solution
Pour ceux qui sont confrontés à la solitude, la dépression, le stress, l'angoisse, les moments difficiles, le suicide, l'alcool, les drogues et autres.
http://www.prodsoter.com/krtb/

Groupe d'accueil et d'action psychiatrique
Rencontres, congrès, soutien.
http://www. graap.ch/

Psyweb
Psyweb. Le site de la psychologie en France. Informations claires : psychothérapies, coûts, formations, liens, lectures...
http://www.multimania.com/psyweb/

Mediagora Paris
L'association de ceux qui souffrent de phobie sociale, d'agoraphobie, d'anxiété, d'attaques de panique, de phobies diverses, d'angoisses et de dépression.
http://perso.wanadoo.fr/christine.couderc/
http://www.alaphobie.com/mediagora/

Association Cercle Coué
Objet : étude et mise en application de l'autosuggestion consciente et positive prônée par Émile Coué.
http ://members.aol.com/cerclecoue/index.htm

Psychochat
Site francophone où les gens discutent de leurs problèmes psychologiques et s'entraident les uns les autres.
http ://www.psychomedia.qc.ca/chat.htm

Association française de luminothérapie (dépressions saisonnières)
Domaines d'application.
http ://www.luminotherapy.com/

La dépression
Coup de cafard, trente-sixième dessous... dépression.
http ://www.medisite.fr/dossiers/depression/

Association des dépressifs et maniaco-dépressifs
Informations sur la dépression et la maniaco-dépression.
http ://www.admd.org/

La dépression
Dossier de *L'Express* : maladie du siècle ?
http ://www.lexpress.fr.express/info/sciences/Dossier/dépression

Dépression infantile ou réalité
Dépression chez l'enfant.
http ://perso.club-internet.fr/aflande/concept/htm

Dépression
Faire une dépression.
http ://www.chez.com/schyzo/depression.html

SOS déprime
Les moyens de s'en sortir vite.
http ://www.sosdeprime.com/

Carrefour Intervention Suicide
Prévention du suicide, le deuil, la dépression.
http ://www.interlinx.qc.ca/suicide

Aide aux femmes
Guide répertoriant les organismes œuvrant dans le domaine de l'aide aux femmes pour : la dépendance, la violence, la toxicomanie, l'alcool, la dépression.
http ://www.chez.com/femmes/

Accompagnement analytique et psychothérapeutique

L'association « Accompagnement analytique » rassemble des psys parisiens et veut répondre à toutes les demandes et besoins. Par exemple : angoisses, phobies, dépressions, obsessions, difficultés en tous genres.
http ://members.aol.com/Assopsy/

Que faire en cas de dépression ?

Que faire ? Les réponses.
http ://bcandide.tripod.com/Quoifaire.html

Dépression et rechute

Informations sur les moyens à prendre pour ne pas retomber.
http ://bcandide.tripod.com/rechmental.html

Dépressions et angoisses adolescentes Dr Charmoille

http ://www.psyfc.com/depressionetangoissesadolescentes.htm

La dépression est-elle encore une affection de l'esprit ?

Philosophie de l'esprit, psychopathologie, psychanalyse.
http ://pierrehenri.castel.free.fr/depression.htm

L'antre du dragon

Comment expliquer la dépression d'un parent à un enfant ?
http ://www.citeweb.net/kwyzee/goglu.html

Dépression printanière

Renseignements, témoignages.
http ://www.multimania.com/wally12mars2000/edito.htm

Megapsy

Propose des tests mesurant anxiété, sociabilité, frustration, activité, efficacité, domination, autorité, sexualité, dépression.
http ://www.megapsy.com/

SOS Dépression

Association créée par le docteur Alain Meunier. La ligne (01 45 22 44 44) est accessible 24 h sur 24, 7 jours sur 7.
http ://www.cyberis.fr/inps/sosD.htm

Une dépression, c'est quoi ?

Personne n'est à l'abri.
http ://www.barreauqc.ca/art99/25juillet.htm

La dépression
Trouble mental caractérisé par des sentiments de découragement, de culpabi
lité, de tristesse, d'impuissance.
http ://www.ping.be/chaosium/psydepre.htm

Dépression
La dépression est une façon de rompre avec le passé pour entrer dans le
monde de l'efficacité...
http ://www.intermedic.org/stethonet/depress.htm

La dépression
Les tabous et les mythes sont les premières causes de pollution psychique. Par
leur fréquence et le poids de leurs conséquences pour le patient.
http ://www.aesfr.com/Dépression.htm

Ça se discute
Dossier : la dépression.
http ://www.casediscute.com/1998/

Bonheur pour tous
Le dépressif explique en général ses raisons d'être toujours malheureux...
Le problème est que...
http ://www.bonheurpourtous.com/botex/logdep.html

Dépression postnatale
Les recherches. Les renseignements.
http ://www.imaginet.fr/carnetpsy/depPN.html

La sérotonine et la dépression
Questions-réponses.
http ://dog. net.uk/claude/serotonin-depression.html

Psychanalyse
Association-débat.
http ://www.psychanalyse-in-situ.com/

Franco Psy
Revue francophone de psychiatrie.
http ://www.psychiatrie.net/francopsy

La maîtrise du stress
Revue francophone dédiée aux problèmes de stress et à ses traitements.
http ://www.santé.cc/stress/stress00.htm

Burn out ou dépression ?
Portail québécois.
http ://www.journaldemontreal.com

La dépression
http ://www.mssoc.ca/qc/Sp119904.htm

Le traitement de choc électroconvulsif en psychiatrie
http ://www.antipsychiatry.org/fr

L'angoisse et la dépression
http ://home.earthlink.net

Yoga personnalisé en dépression
http ://socool.free.fr/méthodes/yoga/personnalise/depression.htm

Dépression
Mal du siècle ?
http ://www.netinfo.fr/intermedic

Psychomédia
Site québécois d'intérêt public qui fournit de l'information de qualité en psychologie.
http ://www.psychomedia.qc.ca/

Clinique santé
Conseils santé en ligne.
http ://www.cliniquesante.com

Psychanalyse/psychanalyste
Consultations sur Internet.
http ://www.telepsycho.com

Groupe d'accueil et d'action psychiatrique
Rencontres, congrès.
http ://www.graap.ch

L'âme sœur
Rencontres psy.
http ://www.multimania.com/heral

Association de parents et amis des patients
Santé mentale, psychiatrie, dépression.
http ://www.rocher.qc.ca/apapsmso/accueil.htm

Aide morale sur Internet
Association répondant en cinq langues à toute personne nécessitant un soutien.
http ://www.club.ch/amsi

Dépression, aide et thérapie
Informations et service d'aide.
http ://bcandide.tripod.com/protherapie.html

La maniaco-dépression
Pour tout savoir sur la maniaco-dépression.
http ://le-village.ifrance.com/maniaco

Parler de la maniaco-dépression
Forum de discussion.
http ://www.insidetheweb.com/mbs.cgi/mb1107166

Recherches et rencontres
http ://www.recherche-rencontre.org

Psychothérapies
Grand site francophone.
http ://www.mygale.org/09/psycho/

Œdipe
La psychanalyse en France et dans le monde.
http ://www.œdipe.org/

Trouver un psychologue ou un psychothérapeute
http ://www/iquebec.com/psychologie/

Aide psychologique ou évolution personnelle
Pourquoi entreprendre une psychothérapie.
http ://www.psychothérapeute.net/

Renseignements sur le suicide
http ://www.suicideinfo.org/french

Freud-Lacan
Site de l'association freudienne.
http ://www.freud-lacan.com/

Forum alaphobie
Forum de discussion sur les attaques de panique, l'anxiété, les angoisses, les phobies.
http ://www.alaphobie.com

- AGY – Association Gestalt-thérapie et yoga – Association ayant pour objectif d'offrir aux personnes homosexuelles ou concernées par l'homosexualité des espaces personnels grâce au yoga et au massage. L'agenda. Les activités. L'adhésion. Des liens.
- APG – Association de psychiatres psychanalystes, psychothérapeutes œuvrant pour le soutien psychologique des homosexuels. Cette structure fournit un annuaire d'adresses de praticiens proposant des entretiens personnalisés individuels et des ateliers de groupe.
- Auriol Bernard – Les publications de ce médecin psychiatre, psychanalyste. Les thèmes : psychosonique, yoga et relaxation, psychanalyse et psychothérapie, dynamique des groupes, psychiatrie biologique, poèmes et littérature, graphologie, caractérologie.
- Alternatives – Centre de psychothérapie. Lieu regroupant des activités de psychothérapie de deux professionnels, Annie Colliot et Bertrand Seys. Les services parmi lesquels les thérapies de couple et de famille, les relations d'aide à court terme. Les principes théoriques, le code de déontologie. Le plan d'accès.
- Association française de thérapie comportementale et cognitive – Association ayant pour objectif de promouvoir la pratique, l'enseignement et la recherche en matière de thérapie comportementale et cognitive, outil efficace et validé pour le traitement d'un grand nombre d'affections. Un institut d'enseignement. Les congrès. Le journal.
- Association Geza Roheim – Les personnes en difficulté psychologique ne sont pas laissées pour compte. Cette association est là pour proposer son aide aux institutions et particuliers et apporte des solutions et de l'écoute. Les objectifs, l'ethnopsychanalyse. Les liens et adresses. Association ayant pour but d'apporter un soutien psychologique aux familles et personnes migrantes. Création d'un espace interculturel. Promotion de l'ethnopsychanalyse.
- Association de la cause freudienne – L'association et l'école de la cause freudienne. Statuts et autres textes, liste des membres. Les enseignements du mercredi, les enseignements de la rue Huysmans, les cartels, colloques et conférences. La fondation du champ freudien et sa reconquête par Lacan. Actualités, bloc-notes et agenda. Les soirées à thèmes à venir.
- Association des psychiatres ligériens – Association ayant pour but de promouvoir les échanges de savoir et de pratique entre les psychiatres de la région. Les activités. Psychisme et travail, thème de l'année. Billets d'humeur.
- Association des psychiatres du Canada – Les activités, la mission de cette association des psychiatres du Canada. Les rapports d'activité 1998 et 1997, les publications. Les assemblées, les différentes commissions et les groupes de travail. Programme des événements. Liste des académies de psychiatrie.
- Borgy, Jacques – Sa spécialité, psychologue clinicien, psychothérapeute. En introduction, on trouve la Déclaration des droits de l'homme. Les pages suivantes sont tirées de textes et études personnels sur la vie affective de la personne âgée et le soin aux psychotiques déficitaires. Dates de colloques et conférences.

- C'est l'an 2000 Docteur Z ! – Récit d'une psychothérapie, sous forme de roman en trois parties. Possibilité de le télécharger. Liste de diffusion et livre d'or. Par Carmen Carbonari.
- Centre de psychothérapie des victimes – Institut de victimologie et centre de psychothérapie des victimes, Paris, 17e. Ce site recense les symptômes liés à des chocs émotionnels, la façon de travailler et les activités du centre, les associations utiles. Les ressources sur Internet (liens).
- Conduites suicidaires de la personne âgée : un échec du vieillissement ? (Les) – Un thésard en psychiatrie nous rend compte de son travail. Le thème : les conduites suicidaires de la personne âgée : un échec du vieillissement ? Un résumé. Une table des matières. Puis la totalité des travaux. Une bibliographie.
- Forum de la psychanalyse (Le) – Espace de discussion sur la psychanalyse, d'après l'enseignement de Freud et de Lacan. Liste des utilisateurs d'ICQ concernés par ces discussions.
- Freud & Schreber – Le « cas » Schreber et l'histoire du mouvement psychanalytique. Sommaires et extraits de trois ouvrages de Luiz Fernando Prado de Oliveira. Il y est question de paranoïa, de Freud bien sûr. Citations et liens.
- Gestion du stress au travail (La) – Résoudre le problème du stress sur le lieu de travail. La définition du stress, les stratégies efficaces d'adaptation, par exemple. La méthodologie et les objectifs. Ceux à qui s'adresse cette véritable formation. Présentation de l'animateur.
- Groupe d'étude et de réflexion en psychologie analytique (Gerpa) – Groupe ouvert à toute personne ayant fait au moins trois ans d'analyse. Travaux de groupe sur des thèmes qui s'inspirent de la pensée et l'œuvre de Jung. Lecture et préparation d'exposés.
- Groupe d'études et de recherches sur les appartements relais thérapeutiques (Gerart) – Promotion et défense d'un outil de soin spécifique. Réflexion, à l'intérieur de commissions de recherche, sur la pratique quotidienne et les difficultés rencontrées par chacun lors des interventions en appartements. Calendrier. Les publications. Les associations adhérentes.
- Guy, Alain – Professeur de sciences de l'éducation à l'université de Paris-VIII, psychanalyste, producteur à France Culture. Textes inédits. Conférences publiées. Les enseignements. Calendrier des cours et conférences.
- Institut de victimologie – Centre de psychothérapie des victimes – Centre destiné à toute personne victime d'agressions, d'attentats, d'inceste, de vols, d'accidents individuels et collectifs, de sectes et de toute forme de violence. Écoute, information et aide adaptée à la situation et la personnalité de chacun. Les symptômes liés à des chocs émotionnels.
- Je Vous Écoute – Nicolas Hérion, psychothérapeute, se présente. Puis propose ses services. L'écoute active, la négociation. Pédagogie et personnes âgées. Comment se déroule une séance de psychothérapie de groupe, la dynamique et les niveaux de fonctionnement. L'approche du moi et les théories de Rogers. Témoignages d'internautes.

- Lacan @ Montréal – Groupe chargé de promouvoir et favoriser l'intervention psychanalytique d'orientation lacanienne à Montréal. Organisation d'activités où la pratique et la recherche s'alimentent mutuellement. Journées d'études, colloques et conférences.
- Lacan Freud Psychanalyse – Articulation et développement des questions liées au discours analytique. Internet et le travail d'analyse. Un espace « Poubel-lications » pour ceux qui souhaitent produire des textes courts sur le discours analytique, après approbation du comité de lecture. Carnet d'adresses et liens.
- Megapsy – Tests de personnalité. Bibliothèque de psychanalyse constamment enrichie et mise à jour. Publication. Musée consacré à Freud. La psychanalyse en bande dessinée. Réponses aux questions courantes.
- Observatoire de la psychiatrie (L') – Regard extérieur sur les divers aspects de la prise en charge psychiatrique, du point de vue de l'usager et de la société civile qui a le droit de savoir ce qui se passe dans cet univers encore trop souvent clos. Les rapports. Les statistiques. Actualités. Jurisprudence. Témoignages.
- Percepsy – La semi-hypnose en complément d'une psychanalyse. Les différentes étapes, dont le développement et la gestion du stress. Par Marie-Ange Boizard, psychothérapeute.
- Philosophie de l'esprit, psychopathologie, psychanalyse – La philosophie contemporaine de l'esprit, l'épistémologie de la psychopathologie et la psychanalyse. Ces thèmes sont traités dans leur ensemble, avec un souci didactique. Des repères et des analyses, l'évolution actuelle du discours scientifique à travers les conférences et séminaires récents.
- Psy-Franche-Comté – Rassemblement des associations intervenant dans le département. Le réseau Action santé jeunes et Prévention suicide. Collège régional de FMC des psychiatres de Franche-Comté. Société de psychiatrie de Franche-Comté. Les réunions prévues. Liens vers d'autres sites.
- Psychanalyse (La) – Définition de la psychanalyse. Le processus. La durée. Le miroir intérieur. La puissance du moi. Connaissance de l'inconscient. À qui convient la psychanalyse. Comment se déroule-t-elle ? Les écoles. Le sens de la vie et du travail. La violence dans les jeux vidéo et le cinéma.
- Psychanalyse et science – Travail d'Alain Cochet dans le champ de la logique, de la topologie et de la théorie des nœuds. Mise en évidence de l'appui que trouve Lacan dans les mathématiques pour cerner la dimension du réel.
- Psychanalyse in situ – Utilité et intérêt de la psychanalyse. Pourquoi l'entreprendre ? Textes inédits. Les différents effets provoqués par les pratiques psychanalytiques. Livres et revues. Les associations. Actualités.
- Psychologie. org – Définition de la psychologie. Les courants. Les domaines. Les thérapies. Les organisations et associations. Actualité. Annuaire des institutions et des psychologues de France. Dictionnaire. Sexologie. Tests.
- Psychologues – Collège des psychologues du Loir-et-Cher. Informations sur la profession. Éthique. La législation. Revue de presse. Exposé sur le mal-être et le mal de vivre. Un certain regard sur la psychologie.

- Redpsy – Ressources en développement. Les psychologues humanistes branchés. Thématiques grand public. Guide des émotions. Outils à la démarche personnelle. Articles utiles concernant diverses réalités psychologiques. Où chercher de l'aide psychologique.
- Rencontre européenne de psychanalyse de l'enfant – Manifestation organisée par l'Association européenne de psychopathologie de l'enfant et de l'adolescent. Inscriptions. Programme des exposés, colloques, ateliers cliniques, débats. Situation. Hôtels.
- Sigmund Freud, *La Dénégation* – Intégralité du texte de *La Dénégation*, de Sigmund Freud. Liens hypertexte, notes de lecture, réflexions. Le moi, le non-réel, l'uniquement représenté, le subjectif. Besoin, progrès, existence et différenciation. Site franco-allemand. Liens.
- Société française de psychiatrie de l'enfant et de l'adolescent – Association ayant pour but de promouvoir et coordonner toutes les études et recherches concernant les troubles mentaux, affectifs et intellectuels des enfants et des adolescents, ainsi que la prévention et les traitements. Le conseil scientifique. Les congrès et réunions. Les candidatures.
- Société française de relaxation psychothérapique (SFRP) – Ensemble de techniques thérapeutiques visant à l'obtention d'une détente musculaire et psychique. Adhésion. Revue. Les réunions. Formation à la relaxation psychothérapique. Liste des praticiens de la SFRP. Bibliographie. Colloques et congrès.
- Soins, études et recherches en psychiatrie (Serpsy) – Espace de réflexion et d'échange autour de la relation soignant/soigné. La psychiatrie hors les murs. Les précarités sociales. Thérapie familiale et psychothérapie. La distance thérapeutique. Lever le voile sur la psychiatrie.
- Thérapies conseil – Équipe composée de psychothérapeutes et de psychanalystes assurant depuis quatorze ans une permanence téléphonique quotidienne au service du grand public. Objectif : écouter, informer et orienter tous ceux qui désirent entreprendre une psychothérapie ou une psychanalyse, les guider dans le choix de la thérapie. Association réunissant une équipe de psychothérapeutes pluridisciplinaires et de psychanalystes, assurant une permanence téléphonique quotidienne au service du grand public. Principale mission : écouter, répondre aux questions, informer et orienter ceux qui souhaitent entreprendre une thérapie.

Sélection de cliniques spécialisées

Paris, région parisienne

Clinique Villa Montsouris
115, rue de la Santé – 75017 Paris. Tél. : 01 40 78 80 80

Clinique Villa des Pages
40, avenue Horace-Vernet – 78110 Vésinet. Tél. : 01 30 15 96 96

L'Ermitage
10, rue Ermitage – 95160 Montmorency. Tél. : 01 39 34 51 00

Château du Bel-Air
Rue Albert-Thomas – 91560 Crosne. Tél. : 01 69 49 71 00

Clinique de la Gaillardière
18100 Vierzon. Tél. : 02 48 52 93 33

Clinique du Val-de-Bièvre
2, rue Horace-de-Choiseul – 91171 Viry-Châtillon. Tél. : 01 69 12 63 63

Clinique Jeanne-d'Arc
15, rue Jeanne-d'Arc – 94160 Saint-Mandé. Tél. : 01 49 57 26 00

Clinique Médicale de Ville-d'Avray
23, rue Pradier – 92410 Ville-d'Avray. Tél. : 01 47 09 05 81

Clinique neuropsychiatrique du Château du Tremblay
Tremblay – 58400 Chaulgnes. Tél.   03 86 59 75 75

Clinique universitaire Georges Heuyer
6, rue du Conventionnel-Chiappe – 75013 Paris. Tél. : 01 45 85 25 17

Maison de santé du Château de Garches
11 *bis*, rue de la Porte-Jaune – 92380 Garches. Tél. : 01 47 95 63 00

Maison de santé de Bellevue
8, avenue du 11 Novembre 1918 – 92190 Meudon. Tél. : 01 61 84 15 00

Sélection d'hôpitaux en France

Hôpital Bon Sauveur
28, rue Rachoune – 81000 Albi. Tél. : 05 63 48 49 51

Centre hospitalier
14, rue de Mulhouse – 90000 Belfort. Tél. : 03 84 57 40 64

Hôpital Charles-Perrens
121, rue Béchade – 33000 Bordeaux. Tél. : 05 56 96 84 50

CHRU
Rue du Professeur-Émile-Laine – 59000 Lille. Tél. : 03 20 44 59 62

Centre hospitalier Le Vinatier
95, boulevard Pinel – 69500 Bron. Tél. : 04 78 53 59 39

CHR
1, place P-de-Vigneulles – 57000 Metz. Tél. : 03 87 55 36 00

CHU
Lapeyronie – 371, avenue Doyen-Gaston-Giraud – 34295 Montpellier Cedex.
Tél. : 04 67 33 67 33

CHU
29, avenue du Maréchal-de-Lattre-de-Tassigny – 54000 Nancy.
Tél. : 03 83 85 12 56

CHU Saint-Roch
5, avenue Pierre-Devoluy – 06000 Nice. Tél. : 04 92 03 33 75

CHU de Caen
du Professeur-Zarifian
Centre Esquirol – Côte de Nacre – 14033 Caen Cedex. Tél. : 02 31 06 44 41

CHRU Bellevue
25, boulevard Pasteur – 42100 St-Étienne. Tél. : 04 77 42 77 83

Centre hospitalier Gérard-Marchant
134, route d'Espagne – 31057 Toulouse Cedex. Tél. : 05 61 43 78 78

Enfants et adolescents

CHU
Centre Jean-Abadie – 89, rue Sablières– 33000 Bordeaux. Tél. · 05 56 79 56 79

Hôpital Charles-Perrens de Bordeaux
21, rue Béchade – 33000 Bordeaux. Tél. : 05 56 56 34 34

CITD
Boulevard de Metz – 59037 Lille Cedex. Tél. : 03 20 44 59 62

Hôpital neurologique
59, boulevard Pinel – BP Lyon Cedex 03. Tél. : 04 72 35 72 35

CHU
Hôpital de La Grave
Place Lange – 31052 Toulouse. Tél. : 05 61 77 78 33

Centre hospitalier Gérard-Marchant
134, route d'Espagne – 31057 Toulouse Cedex 1. Tél. : 05 61 43 77 77

Centre du volontariat de la Côte-d'Or
25, rue Balzac – 21000 Dijon. Tél. : 03 80 74 38 11

Les associations

Journée nationale pour la prévention du suicide
36, rue Gergovie – 75014 Paris. Tél. : 01 45 45 68 81

Ligue française pour la santé mentale
11, rue Tronchet – 75008 Paris. Tél. : 01 42 66 20 70

Mediagora Paris
6, rue Saulnier – 75009 Paris. Tél. : 01 47 70 58 18

Narcotiques Anonymes
17, rue Blanche – 75009 Paris. Tél. : 01 48 58 38 46

Association Gestalt-thérapie et yoga
72, rue Pixérécourt – 75020 Paris. Tél. : 01 44 62 26 33
Urgences : 06 82 03 40 59

Asociation Psy Gay
L'APG réunit des psychiatres, des psychanalystes, spécialisés dans l'accompagnement psychologique des homosexuels.
72, rue Pixérécourt – 75020 Paris. Tél. : 01 30 39 29 52

Psychom 75
Association visant à guider le souffrant vers la meilleure orientation.
Le Psychom 75 a rédigé un guide d'informations et d'adresses aidant le patient à se retrouver dans le monde de la psychiatrie. Il permet au patient de trouver rapidement la personne apte à le soigner.
Ce guide est disponible sur Minitel : 3615 Psychom 75.
1, rue Cabanis – 75014 Paris. Tél. : 01 45 65 30 00
Site Internet : www.Psychom75.fr

Thérapies Conseil
Tous les jours de 18 heures à 23 heures, un psychologue vous écoute et vous oriente vers les structures adaptées.
Tél. : 01 44 92 00 68

SOS Espoir
BP 184 – 75523 Paris Cedex 11. Tél. : 01 43 70 69 26

SOS Suicide Phénix Bordeaux
39, rue Jean-Renaud Dandicolle – 33000 Bordeaux. Tél. : 05 56 96 49 04

SOS Suicide Phénix Champagne
44, rue Boulard – 51100 Reims. Tél. : 03 26 07 35 35

SOS Suicide Phénix Clermont-Ferrand
27, mail d'Allagnant – 63000 Clermont-Ferrand. Tél. : 04 73 29 15 15

SOS Suicide Phénix Le Havre
3, place Danton – 76600 Le Havre. Tél. : 02 35 43 24 25

SOS Suicide Phénix Lyon
3, cours Lafayette – 69006 Lyon. Tél. : 04 78 52 55 26

SOS Suicide Phénix Nice
8, avenue Notre-Dame – 06000 Nice. Tél. : 04 93 80 00 18

SOS Suicide Phénix Paris
36, rue de Gergovie – 75014 Paris. Tél. : 01 40 44 46 45

SOS troisième âge
163, rue Charenton – 75012 Paris. Tél. : 01 44 73 87 79

Accueil et amitié Le Radeau
9, rue Dantancourt – 75017 Paris. Tél. : 01 42 29 49 05

Amitié au bout du fil
7, rue Léopold-Bellan – 75002 Paris. Tél. : 01 40 13 95 01

Amitié et développement
44, rue Saint-Charles – 75015 Paris. Tél. : 01 45 79 24 20

La Fnap Psy
Fédération nationale des associations de patients et ex-patients psys.
Objectif de cette association : rompre votre isolement et vous aider à trouver les solutions adéquates à votre type de problème : dépression, phobie... Tél. : 01 45 26 08 37

Le fil retrouvé
Association de personnes dépressives et maniaco-dépressives qui ont été hospitalisées dans un service de psychiatrie. Tél. : 01 45 26 08 37

Entraide et renaissance
42, rue de la Fonderie – 17000 La Rochelle. Tél. : 05 46 41 83 94

L'autre regard
2, square de la Rance – 35000 Rennes. Tél. : 02 99 31 63 43

Unafam
Union nationale des amis et des familles de malades mentaux.
12, villa Compoint – 75017 Paris. Tél. : 01 53 06 30 43

Unassol
Union nationale des associations luttant contre la solitude.
Lutter contre l'individualisme : un petit geste suffit à rompre l'indifférence.
Tél. : 01 43 26 80 30

Aftoc
Association de personnes souffrant de troubles obsessionnels compulsifs.
Tél. : 02 31 44 03 81

Lueur d'espoir
Lieu d'écoute composé d'anciens dépressifs.
2, allée de la Lucerne – 35300 Rennes. Tél. : 02 99 32 08 00
Numéro d'urgence : 02 99 86 65 28

Revivre Côte-d'Or
Association de personnes dépressives et désocialisées.
2, rue des Corroyeurs – 21000 Dijon. Tél. : 03 80 45 15 00

AFSGT
Association de personnes souffrant de tics verbaux et moteurs, souvent accompagnés de troubles obsessionnels compulsifs.
1, square des Feuillants – 78150 Le Chesnay.

France dépression
Écoute téléphonique, conseils.
14-20, rue Mathurin-Régnier – 75015 Paris. Tél. : 01 40 61 05 66

Mediagora Lille
Christophe vous répondra tous les jours de 8 heures à 22 heures.
Tél. : 03 20 98 44 93

Mediagora Rouen
Tél. : 02 35 58 02 32

SOS dépression
Écoute téléphonique 7jours/7 et 24 h/24.
17, avenue de Clichy – 75018 Paris. Tél. : 01 45 22 44 44

SOS Famille en péril
Des psychologues vous écoutent et vous conseillent.
Tél. : 01 42 46 66 77

Allô psy
Vous écoute : solitude, dépression, angoisse, blocages, idées noires, difficultés...
Tél. : 01 56 98 18 18

Thérapies conseil, psychanalystes à l'écoute
Renseignement auprès du grand public des différentes thérapies existantes.
Écoute téléphonique : 01 46 74 91 38

SOS Thérapies comportementales
Assurer toutes les semaines un groupe de parole à destination de personnes présentant des problèmes d'affirmation de soi.
Tél. : 04 50 23 70 48

254

Société parisienne d'aide à la santé mentale
Propose des soins aux personnes souffrant de troubles psychiques grâce à des unités de soins.
Tél. : 01 43 87 60 51

Présence psychologique
Aider et promouvoir le maintien à domicile, dans des conditions psychologiques privilégiées, des personnes dont l'état de santé ou d'isolement nécessite des soins ou une présence appropriée.
Premier service d'assistance psychologique à domicile.
Une équipe de psychothérapeutes expérimentés se met à disposition de personnes immobilisées ou ne pouvant se déplacer.
61, rue de Passy – 75016 Paris. Tél. : 01 45 25 37 47
Site Internet : www.presence-psy.org

Parenthèse
Lieu d'accueil et d'écoute pour les jeunes de 12 à 25 ans en situation de mal-être.
Entretiens gratuits et confidentiels.
13, rue Béranger – 76600 Le Havre. Tél. : 02 35 21 15 31

Ligue française pour la santé mentale (reconnu d'utilité publique)
Prévention, éducation et information en matière de santé mentale.
11, rue Tronchet – 75008 Paris. Tél. : 01 42 66 20 70

L'élan retrouvé (reconnu d'utilité publique)
Hospitalisations de jour et consultations de psychiatrie.
23, rue de la Rochefoucauld – 75009 Paris. Tél. : 01 49 70 88 88

Centre de lutte contre l'isolement, prévention du suicide et de sa récidive
Pour toute personne qui souffre de mal-être, souffrance morale, verbalisant la peur ou le désir de suicide.
6, rue Dulong – 76000 Rouen. Tél. : 02 35 88 57 62

Association suicide écoute, prévention auprès des adolescents
Prévention du suicide chez les 15-24 ans.
Téléphone vert 24 h/ 24 (à numéroter à partir de ce département) : 08 00 88 14 34

SEPIA
7, rue Kléber – 68000 Colmar. Tél. : 03 89 35 46 66

Association service de suite, aide et guidance vers l'autonomie
Permettre à des adultes en situation de souffrance psychique et en difficulté d'adaptation sociale de trouver une place dans leur environnement quotidien.
Assaga: 10, rue Richan – 69004 Lyon. Tél. : 04 72 10 90 71

Association française de thérapie comportementale et cognitive
Faire un courrier pour recevoir la liste des thérapeutes de votre département.
100, rue de la Santé – 75674 Paris Cedex 14. Tél. : 01 45 88 78 60

Association Vivre son deuil
Permanence téléphonique assurée par des bénévoles pour vous aider à surmonter l'épreuve du deuil d'un être cher.
7, rue Taylor – 75010 Paris. Tél. : 01 42 38 08 08

Associations françaises
de thérapie comportementale et cognitive
(à contacter par courrier)

AFMC
11, rue du Président-De-Gaulle – 85400 Luçon

ALRTCC
7, rue Doria – 34000 Montpellier

ANTHECC
52, rue du Molinel – 59800 Lille

ATCCO
3, rue Marceau – 44000 Nantes

BFKT
6, rue Scipion – 75005 Paris

GREBTCC
21, rue Émile-Zola – 29200 Brest

IRRCAD
66, cité de l'Église-St-Augustin – 33000 Bordeaux

ATCCIF
79, rue Caulaincourt – 75018 Paris

AFTCCPC
50, avenue Jacques-Cœur – 86000 Poitiers

Centres d'accueil et de crises
Centres médico-psychologiques

Assurent des consultations gratuites et une permanence téléphonique.

1er, 2e, 3e arrondissements
36, rue Turbigo – 75003 Paris. Tél. : 01 42 77 02 00

86-90, rue Notre-Dame-de-Nazareth – 75003 Paris. Tél. : 01 42 72 39 10

4e arrondissement
2, rue du Figuier – 75004 Paris. Tél. : 01 48 87 67 22

Recherche et rencontre
61, rue de la Verrerie – 75004 Paris. Tél. : 01 42 78 19 87

Centre Victor-Smirnoff
22, boulevard de Sébastopol – 75004 Paris. Tél. : 01 42 77 62 31

5e arrondissement
24 A, rue des Fossés-Saint-Jacques – 75005 Paris. Tél. : 01 44 41 21 19

Institut de la psychanalyse
187, rue Saint-Jacques – 75005 Paris. Tél. : 01 43 29 66 70

Institut René-Capitant
7, rue de Lanneau – 75005 Paris. Tél. : 01 44 41 19 30

6e arrondissement
17-19, rue Garancière – 75006 Paris. Tél. : 01 43 29 05 30

7e arrondissement
39, rue de Varenne – 75007 Paris. Tél. : 01 42 22 21 83

8e arrondissements
3, rue de Lisbonne – 75008 Paris

9e arrondissement
20 *bis*, rue de Douai – 75009 Paris. Tél. : 01 48 78 05 21

18-20, rue de la Tour-d'Auvergne – 75009 Paris. Tél. : 01 42 81 27 22

10e arrondissement

Centre Érasme
58, rue d'Hauteville – 75010 Paris. Tél. : 01 47 70 79 63

221, rue Lafayette – 75010 Paris. Tél. : 01 40 38 09 30

11e arrondissement

39, avenue de la République – 75011 Paris. Tél. : 01 43 57 52 64

Institut Louis-le-Guillant
25, rue Servan – 75011 Paris. Tél. : 01 43 79 81 44

63, rue de la Roquette – 75011 Paris. Tél. : 01 47 00 22 30

12e arrondissement

16, rue Eugénie-Éboué – 75012 Paris. Tél. : 01 43 46 50 36

13e arrondissement

Centre Philippe-Paumelle
11, rue Albert-Bayet – 75013 Paris. Tél. : 01 40 77 44 00

14e arrondissement

145 *bis*, rue d'Alésia – 75014 Paris. Tél. : 01 45 45 09 56

7, rue Cabanis – 75014 Paris. Tél. : 01 45 65 81 50

15e arrondissement

14-20, rue Mathurin-Régnier – 75015 Paris. Tél. : 01 44 38 52 70

23, rue Tiphaine – 75015 Paris. Tél. : 01 45 75 03 50

11, rue Tisserand – 75015 Paris. Tél. : 01 44 25 05 01

16e arrondissement

29, rue Saint-Didier – 75016 Paris. Tél. : 01 47 55 63 48

17e arrondissement

31-33, rue Henri-Rochefort – 75017 Paris. Tél. : 01 47 66 04 50

18, rue Salneuve – 75017 Paris. Tél. : 01 47 66 25 19

17-19, rue d'Armaillé – 75017 Paris. Tél. : 01 45 74 00 04

18e arrondissement

8, rue Jean-Dolfus – 75018 Paris. Tél. : 01 42 28 83 63

258, rue Marcadet – 75018 Paris. Tél. : 01 46 27 20 32

40, rue Ordener – 75018 Paris. Tél. : 01 42 55 56 86

19e arrondissement

97, rue de Crimée – 75019 Paris. Tél. : 01 42 49 21 50

213, rue de Belleville – 75019 Paris. Tél. : 01 42 08 42 08

20e arrondissement

9-11, rue du Télégraphe – 75020 Paris. Tél. : 01 40 30 55 19

15, square des Cardeurs – 75020 Paris. Tél. : 01 43 79 63 55

Centre médico-psychologique pour sourds, aveugles et malentendants
18, rue Salneuve – 75017 Paris. Tél. : 01 47 66 05 31

Numéros utiles

Urgences Psychiatrie
(24 h/24) – Tél. : 01 43 87 79 79

SOS Psychiatrie
Tél. : 01 47 07 24 24

Fil Santés Jeunes
(Anonyme, national et 24/24 heures). Tél. : 0 800 23 52 36

Ligne Azur
Soutien téléphonique aux jeunes gays et bisexuels. Tél. : 0 801 20 30 40

Suicide écoute
(24/24 heures, 7/7 jours, en Île-de-France). Tél. : 01 45 39 40 00

SOS Suice Phénix
Tél. : 01 40 44 46 45

SOS Amitié
Tél. : 01 42 96 26 26
31, http:/www.sos-amitie.com

Sépia
Tél. : 0 800 88 14 34 (Haut-Rhin uniquement).
sepia@sepia.asso.fr
www.sepia.asso.fr

Institut de l'anxiété et du stress
Lieu de consultation et thérapies de groupe.
5, rue Kepler – 75016 Paris. Tél. : 01 53 23 05 25

Dépressions saisonnières
Consultations de psychiatres qui pratiquent la photothérapie.
Hôpital Sainte-Anne (Paris)
Hôpital Louis-Mourier (Colombes, 92)
Centre hospitalier de Lyon-Bron (Lyon, 69)
La Porte ouverte
Écoute téléphonique en cas de détresse, de solitude.
Tous les jours de 14 heures à 21 heures.
Tél. : 01 43 29 66 02

Service de garde des médecins de Paris
(24 h/24). Tél. : 01 42 72 88 88

SOS Amitié
Des bénévoles formés pendant quatre mois, répondent à vos appels. Ils viennent en aide à toutes les détresses morales quelle que soit la cause. Le but : libérer l'angoisse (24 h/24). Tél. : 01 42 96 26 26

Clinique Remy-de-Gourmont
18-20, rue Remy-de-Gourmont – 75019 Paris. Tél. : 01 53 38 21 00

Institut Hubert-Mignot
12, rue des Hospitalières – Saint-Gervais – 75004 Paris. Tél. : 01 48 87 04 22

L'urgence psychiatrique à Paris, 24 h/24

1er, 2e, 3e arrondissements
86-90, rue Notre-Dame-de-Nazareth – 75003 Paris. Tél. : 01 42 77 02 00

4e arrondissement
Hôtel-Dieu
1, place Parvis-Notre-Dame – 75004 Paris. Tél. : 01 42 34 82 34

6e arrondissement
17-19, rue Garancière – 75006 Paris. Tél. : 01 43 29 05 30

10e arrondissement
Hôpital Lariboisière
2, rue Ambroise-Paré – 75010 Paris. Tél. : 01 49 95 65 65

11e arrondissement
Centre d'accueil et de crise
63, rue de la Roquette – 75011 Paris. Tél. : 01 47 00 23 26

12e arrondissement
CAETB Reuilly
16, rue Eugénie-Éboué – 75012 Paris. Tél. : 01 43 46 51 21

Hôpital Saint-Antoine
184, rue du Faubourg-Saint-Antoine – 75012 Paris. Tél. : 01 49 28 20 00

Hôpital Rothschild
33, boulevard de Picpus – 75012 Paris. Tél. : 01 40 19 30 00

13e arrondissement
Centre d'accueil et de crise
10, rue Wurtz – 75013 Paris. Tél. : 01 45 80 32 74 – 01 45 89 00 26

14e arrondissement
CPOA
Centre hospitalier Sainte-Anne
1, rue Cabanis – 75674 Paris Cedex 14. Tél. : 01 45 65 81 08 – 01 45 65 81 09

Hôpital Cochin
27, rue du Faubourg-Saint-Jacques – 75014 Paris. Tél. : 01 58 41 41 41

Hôpital St-Vincent-de-Paul
74, avenue Denfert-Rochereau – 75014 Paris. Tél. : 01 40 48 81 11

18e arrondissement
Hôpital Bichat
46, rue Henri-Huchard – 75018 Paris. Tél. : 01 40 25 80 80

19e arrondissement
Hôpital Robert-Debré
48, boulevard Serrurier – 75019 Paris. Tél. : 01 40 03 20 00

SAMU de PARIS
149, rue de Sèvres – 75473 Paris Cedex 15. Tél. : 15

Les foyers de Paris permettant le soutien après la phase aiguë de la maladie

5ᵉ arrondissement
René-Capitan
8, rue de Lanneau – 75005 Paris. Tél. : 01 44 41 19 30

6ᵉ arrondissement
8 *bis*, rue Caillaux – 75013 Paris. Tél. : 01 44 24 37 00

8ᵉ arrondissement
Société parisienne d'aide à la santé mentale.
31, rue de Liège – 75008 Paris. Tél. : 01 43 87 15 59

13ᵉ arrondissement
Foyer Watteau – 13-15, rue du Banquier – 75013 Paris. Tél. : 01 43 36 37 49

7, rue des Gobelins – 75013 Paris. Tél. : 01 43 36 99 45

Atelier thérapeutique le Fleuron
25, rue Charles-Fourier – 75013 Paris. Tél. : 01 45 80 80 93

15ᵉ arrondissement
37 *bis*, rue Sébastien-Mercier – 75015 Paris. Tél. : 01 45 79 92 00

15, rue Tiphaine – 75015 Paris. Tél. : 01 45 79 81 14

Association Aurores (hommes)
35, rue des Cévennes – 75015 Paris. Tél. : 01 45 58 17 20

Association Aurores (femmes)
5-7, impasse du Labrador – 75015 Paris. Tél. : 01 45 31 55 87

18ᵉ arrondissement
8, rue Jean-Dollfus – 75018 Paris. Tél. : 01 42 28 83 70

28, rue de la Chapelle – 75018 Paris. Tél. : 01 55 26 11 50

Les institutions

Pour connaître les associations, centres d'accueil et de crises, hôpitaux, clinique et autres organismes en France, contacter ces institutions.

Agence régionale de l'hospitalisation d'Île-de-France
17-19, place de l'Argonne – 75019 Paris. Tél. : 01 40 05 68 87

Direction des Affaires sanitaires et sociales de Paris
23, boulevard Jules-Ferry – 75011 Paris. Tél. : 01 58 57 11 00

Direction de l'Action sociale de l'enfance et de la santé de la Ville de Paris
94-96, rue de la Rapée – 75012 Paris. Tél. : 01 42 76 40 40

Inter-services Migrants
Interprétariat médical
27, rue Linné – 75005 Paris. Tél. : 01 43 35 73 73

Bibliographie

Pierre André, *Psychiatrie de l'adulte*, éditions Heures de France, 1999.

M. Borrel, R. Mary, *Guide des techniques du mieux-être*, éditions Press Pocket, 1993.

Jean-Marie Bourre, *La Diététique du cerveau*, éditions Odile Jacob, 1995.

Monique Brémond, Alain Gérard, *Vrais déprimés, fausses dépressions*, éditions Aubier, 1998.

David Burns, *Se libérer de l'anxiété sans médicaments*, éditions J.-C. Lattès, 1997.
– *Guide de la psychiatrie publique à Paris*, éditions Psychom 75, 1999.

Dr Jean-Pierre Cahané, Claire de Narbonne, *Nourritures essentielles*, éditions First (Saxifrage), 1995.

Christian Chauchard, *Guide pratique de l'iridogie,* édition de Vecchi, coll. « Poches », 1995.

Terah Kathryn Collins, *Le Guide pratique du Feng Shui*, éditions Vivez soleil, 1999.

Dr Jean-Paul Curtay, *La Nutrithérapie, bases scientifiques et pratique médicale*, éditions Boiron, 1999.

Catherine Derivery, *L'Enfer*, éditions Nil, 1999.

Michel Dugas, *La Dépression chez l'enfant*, éditions Vigot.

Alain Ehrenberg, *La Fatigue d'être soi*, éditions Odile Jacob, 1999.

Éric Fellman, *Le Pouvoir de la pensée positive*, éditions Un Monde différent, 1997.

Léon Grinberg, *Culpabilité et dépression*, éditions Belles Lettres-Confluents.

Tenzin Gyatso, *La Méditation au quotidien*, éditions Ouzanes, 1991.

Linda L. Hay, *Transformez votre vie*, éditions Vivez Soleil, 1990.

Dr Claude Imbert, *La Nouvelle Sophrologie*, Guide pratique pour tous, éditions Visualisation Holistique, Paris, 1993.

– *L'Avenir se joue avant la naissance*, éditions Visualisation Holistique, Paris, 1998.

Judith Jacobson, *Les Dépressions : états normaux, névrotiques et psychotiques*, éditions Payot.

Dr Gérald Jampolsky, Diane V. Cirincione, *Le Pouvoir de l'amour*, éditions Vivez Soleil, 1997.

– *Le Cerveau mode d'emploi, Connaître et utiliser ses prodigieuses ressources*, éditions Groupe Diagram, 1994.

Didier Lechemia, *Les Dépressions*, éditions Albin Michel, 1994.

Thérèse Lemperiere, *Les Dépressions du sujet âgé*, éditions Masson.

– *Aspects évolutifs de la dépression*, éditions Masson.

Dr Lesser, *La Thérapie des vitamines de l'alimentation pour retrouver son équilibre*, éditions Terres Vivantes, 1987.

Dennis Linn, Matthieu Linn, *La Guérison des souvenirs*, éditions Desclée de Brouwer, 1999.

Joseph Murphy, *Comment utiliser les pouvoirs de votre subconscient*, éditions Âge du Verseau.

Andrew Neil, *Le Corps médecin*, édition J.-C.Lattès, 1997.

Dr Michaël J. Norden, *Au-delà du Prozac*, éditions Librairie de Médicis, 1996.

Frédéric Raffaitin, *Le Livre blanc de la dépression*, éditions Privat, 1998.

Andrée Robert, *Comment se psychanalyser soi-même*, éditions de Vecchi, 1987.

Dr Victor Simon, *Du bon usage de l'hypnose,* éditions Robert Laffont, coll. «Réponses», 2000.

Anne Vergne, *L'Apéro des dingos*, éditions Albin Michel, 1999.

Judith Viorst, *Les Renoncements nécessaires*, éditions Robert Laffont, coll. «Réponses», 1998.

Édouard Zarifian, *Des Paradis plein la tête*, éditions Opus, 1997.

– *La Force de guérir*, éditions Odile Jacob, 1999.

Table

Remerciements

Toutes les associations d'aide aux personnes en détresse, les thérapeutes indispensables à cette aventure sombre et silencieuse.

Bienêtre

7218

Achevé d'imprimer en France (Manchecourt)
par Maury-Eurolivres
le 19 octobre 2004.
Dépôt légal octobre 2004. ISBN 2-290-33043-4

Éditions J'ai lu
84, rue de Grenelle, 75007 Paris
Diffusion France et étranger : Flammarion